BY
EVELYN LUNEMANN

ILLUSTRATIONS BY
ROGER HERRINGTON

TEN FEET TALL

BENEFIC PRESS • WESTCHESTER, ILLINOIS

SPORTS MYSTERY SERIES

TEN FEET TALL

NO TURNING BACK

FAIRWAY DANGER

TIP OFF

PITCHER'S CHOICE

FACE-OFF

SWIMMER'S MARK

TENNIS CHAMP

Editor, Betty J. Shangle

Library of Congress
Number 68-54056

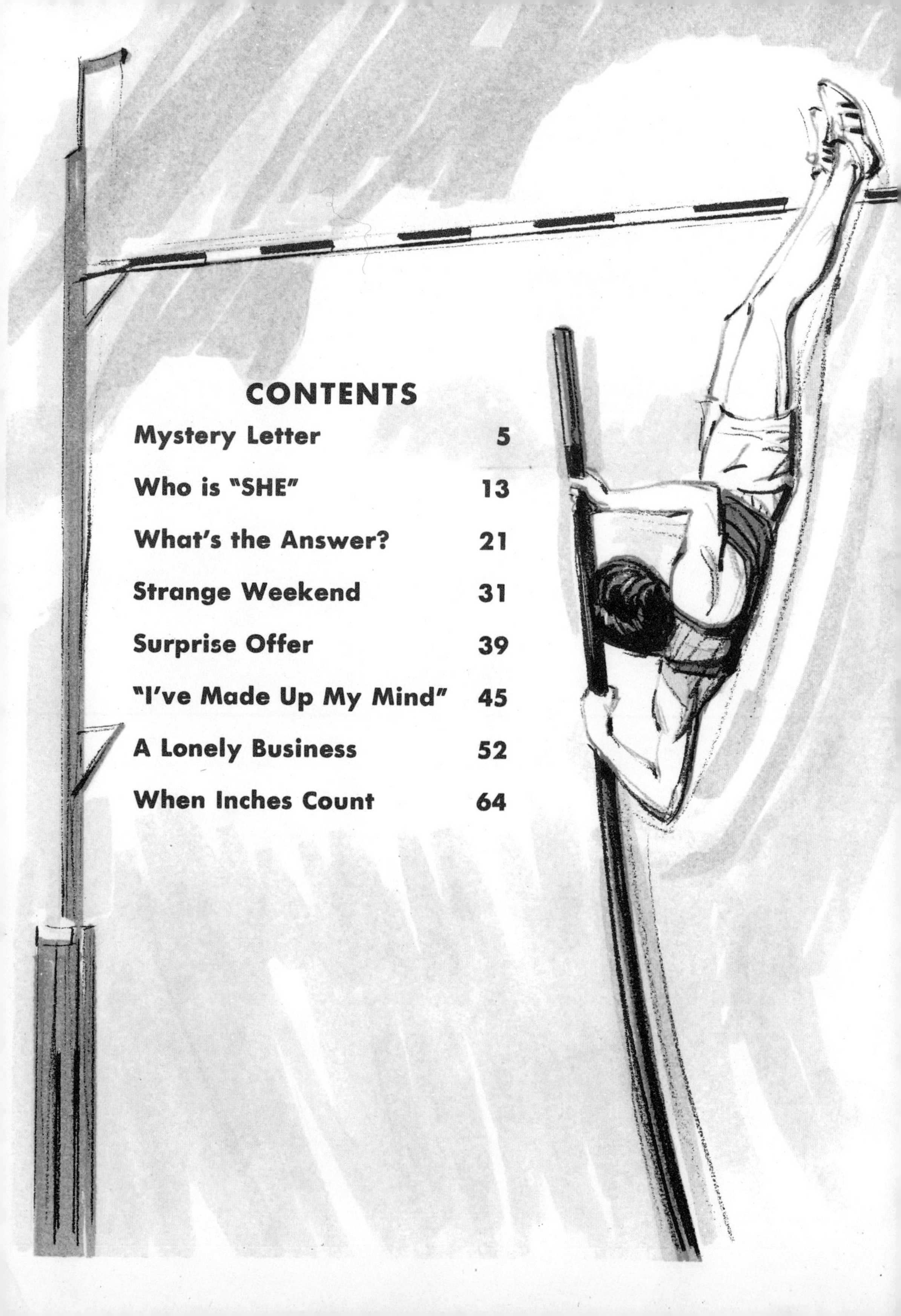

CONTENTS

Mystery Letter

Howie awoke with the feeling that the world was his. The day was Friday, the tenth of the month.

The tenth was his lucky day. His letter always came on the tenth. But there was even more to think about today.

He put his hands under his head and looked about the room. Was he really here -- in Coach Dicker's home? It was hard to believe.

Howie threw back the covers. This was not the day to stay in bed. He looked out the window. What a great day for a baseball game! There was so much to think about. There was the game, the letter, and what was going to happen tomorrow.

Saturday was going to be a great day in Center City. One of the big baseball team scouts was coming. He was going to hold a tryout at the City Park baseball field. Every good high school baseball player from miles around would be there.

Howie had made up his mind. He was going to go to that tryout.

Howie looked at the clock. He would have to hurry if he wanted to do his work-out. Up went his arms. 1, 2, 3, 4 . . . Next came the knee-bends. He counted as he bent to the floor. Fifteen minutes later he had finished his work-out.

"Breakfast time," called Mrs. Dickers.

"I'll be right down," answered Howie.

There would be no time to measure himself this morning. Tonight would do as well.

A few minutes later, Howie raced down the steps. He put his books on the table by the door. He wondered "Will I see my letter here tonight?"

"Good morning, Howie," said Coach Dickers. "How is that batting arm? Are you ready for the big game?"

"It's fine, Coach," laughed Howie. "I hope we win today."

The doorbell rang before Howie could say anything else.

"Come in, Chunker. Howie will be ready in a few minutes," said Mrs. Dickers.

"Come in. Sit down," said the coach to the big young man who came into the kitchen. "Maggie, how about some rolls for Chunker?"

"Thanks, Coach," said Chunker. "I've had breakfast."

"I've never seen the day when you couldn't eat a little more," the coach went on.

Maggie Dickers set a plate of rolls on the table.

“Well,” said Chunker, “maybe I’ll have some. I guess I like to eat as well as Howie likes to play baseball.”

When breakfast was over, the coach turned to the boys. “May I give you men a ride to school?” he asked.

“No thanks,” answered Howie. “Do you want us to get ‘soft’?” Howie and Chunker started for school.

“Hey, wait,” someone called to them.

The young man who had called ran to catch them. He was a tall boy. His name was Mike Fisher. He was one of Center City’s fine young basketball players.

“Hi! Are you two ready for the baseball game today?” he asked as he reached them.

“Oh, sure,” said Chunker. “Slim Parker is going to take care of the pitching. If Bakersville gets any hits, Howie is going to put them out at third base. I’m going to stand in the field and enjoy the sunshine.”

"I'd like to be able to watch the tryouts tomorrow," said Mike. "Are you fellows both going?"

"Not me," said Chunker. "Football is my game." He turned to Howie. "You ought to go, Howie. You're good!"

"I might," said Howie.

Howie said little as the boys walked to school. He walked beside the two young men. Suddenly, the old feeling came back to him. How could he --- Howie --- hope to be really good in any sport?

He had this feeling a lot of times when he walked with Mike and Chunker. Sometimes he was sure that people smiled when they saw them together. Howie knew that people turned around to look at the three of them. He thought he could feel their eyes on his back.

Howie would always remember that day he and Chunker had passed two girls. One of them said to her friend, "That little boy is in high school. Did you know that?"

Howie was short. When he walked beside his tall friends, he looked even shorter than he was. Howie felt that to be short was a terrible thing. He had spent hours thinking about it. He spent even more time trying to change himself. Every day he did his exercises. He knew that they would make him stronger. His big hope was that the exercises would make him taller.

People who knew Howie saw more than his shortness. Other players knew how fast he was. Coaches saw the way he used his head in a game. They knew how hard he worked at everything he tried. His friends liked his happy ways.

Howie laughed about being short, but it wasn't funny to him. It wasn't funny because he loved sports. His great dream was to be the best in one of them.

There were few sports Howie had not tried. He had wanted to play football very much. His best playing was not good enough. He warmed the bench more than he played in the games.

In basketball he did a little better. But there were tall boys who were also fast. Howie soon saw that he could never hope to play anything more than high school basketball.

In track he had done very well. He ran as if a spring started him. But baseball and track came in the same season. Besides, baseball was the game that Howie loved most. He often said that the sound of a bat hitting a ball was the 'sweetest music' he knew.

Howie's mind had been busy as the boys walked to school. His thoughts had been on the Saturday tryouts.

Suddenly he knew that Mike was talking to him.

"What did you say?" he asked Mike.

"I said, it must be nice to live at Coach Dickers' house," Mike repeated.

"Yes, it really is nice," answered Howie. "I can see why he's one of the best liked teachers in the school. Mrs. Dickers is very kind to me."

"Here we are," said Mike. "I can think of things I'd rather do than go inside on a day like this. Good luck in the game."

The school day went quickly for the boys.

The afternoon was just right for baseball. The sky was clear. The sun felt warm on the players' backs. The heat took all the tightness out of their bodies.

Center City won the baseball game. Slim Packer, the pitcher, was at his best. Howie felt good about his own playing. He knew that he had never played a better game.

After the game, the players saw a man come into the locker room with Coach Wade.

"Good work," said Coach Wade. "You men did a fine job." He turned to the man beside him. "They must have known you were watching them. Men, this is Mr. Jim Post. He's going to run the baseball tryouts tomorrow."

"It's been a treat to see you play," said Mr. Post. "This is as fine a high school team as I've seen anywhere."

Mr. Post walked a step closer to Howie. "You, young man, played a fine game. That was a great play in the second inning."

"Thanks," said Howie. His heart started to pound. He didn't know if he should stand up or keep on lacing his shoes.

"You've got a lot of speed," Mr. Post went on. "Your timing is good. You have the right idea when you bunt. Bunting is a good idea for a fellow your size."

Howie could feel his face getting a little red. It was something to have someone from the big league say such things.

"Too bad you don't have more inches both ways. You're too little for the big leagues. But keep. . ."

Howie never heard the rest of the man's words. There it was again. He was too short, too little.

For a minute he felt anger flood his whole body. He looked hard at his shoes.

Mr. Post gave Howie a pat on the shoulder. Then he walked over to Slim. Later, Mr. Post and Slim walked out together.

Howie and Chunker walked home. "You played a good game, Howie," said Chunker.

"Thanks," said Howie. He tried to make his voice sound as if everything were fine. "You heard what the man said. It's the same old thing. I'm too short. Or maybe it wouldn't be any different if I were taller. Maybe I wouldn't be any better at sports than I am now."

The two boys were quiet for a time. "I'd really like to find out though," said Howie. "Just once, I'd like to see how it would feel to be tall."

"Anyway, I found out one thing," Howie went on. "There's no need for me to go to the tryouts tomorrow."

Chunker said nothing. The boys walked on.

"I thought this was going to be my lucky day," said Howie thoughtfully.

Then he remembered his letter. His face broke into a smile. This might still be his lucky day.

"At least we won the game," he said as he left Chunker.

He turned and hurried into the Dickers' house.

Who Is "She"?

"Hello," called Howie. His voice rang through the house.

"Hello," called Maggie Dickers from the lower floor.

Howie looked on the table by the door. It was there.

He picked up the letter and ran up the stairs to his room. He dropped his books and fell into the chair. The letter looked as it always did. Howie turned it over in his hands. Then slowly he opened the letter.

The money was there. The amount and the number of bills were always the same. For over a year now, the letters had come every month.

That money meant a lot to Howie. There were things a fellow needed. But it wasn't just the money. The letters were something to wait for each month. They were a sign that someone was thinking of him. The letter had never meant more than it did today. If only he knew who the sender was.

Howie thought back over the past year. Everything was working out all right. It didn't hurt quite as much to think about his mother and father. When they had both been killed in the car accident, Howie thought everything was over for him. But people had been very good to him.

Now that he was living with Mr. and Mrs. Dickers, everything was even better. There hadn't been much money after the accident. As far as Howie knew, he had only an uncle who lived down South. Howie was glad that Judge Frankson had agreed to Coach Dickers' offer. This was ever so much better than a foster home.

Howie laughed to himself. This was a foster home, too. It just didn't seem that way. The Dickers' house was a real home.

Howie put the money away and walked downstairs.

"Is there something I can do, Mrs. Dickers?" asked Howie.

The coach's wife was busy putting dinner on the table.

"Yes, Howie, there is," she answered. "You can call me Maggie. I'd like that better."

"All right, Maggie," said Howie. "Maggie it will be."

After dinner, Howie hurried back to his room. There was something he had to do. He had to do it before he did anything else.

Inside the closet door, Howie had a yard stick. It was taped to the wall. Beside the stick was something Howie had made himself. There were three metal rods and a string. Howie could measure himself here. Carefully he pulled the string. One piece of metal rested on top of his head. He slid from under the rod slowly.

At times like this, Howie almost held his breath. Now he looked carefully at the yard stick. Was it possible? He had grown a quarter of an inch! He looked again.

"Wow!" said Howie to himself. He felt his chest swell. A quarter of an inch might not be much to some people, but to Howie, growing even a little was wonderful. He felt as if he had been given a fine present.

This was the first time he had measured himself since he had moved to the Dickers' home. The yard stick might not have been put on the wall in the right way. Howie checked it to be sure. Everything seemed to be in the right place.

With a smile on his face Howie looked at the size of his arms. They looked bigger and stronger, too.

He dived into his closet. He pulled out a heavy box. One by one he took out the things that were in the box. First came a set of exercise springs. Next came some weights. There was another set of springs which he hung in the closet.

For the next hour, the only sound in Howie's room was his heavy breathing. Carefully, he counted the number of times he did each exercise.

"Whew!" said Howie to himself. He felt tired, but it was a good feeling. He felt proud of himself. This hadn't been such a bad day after all. Maybe it was the letter. Maybe it was the quarter inch. Whatever it was, he felt better. There was still a chance that he could put on some of the inches he needed.

Howie ran downstairs to the phone. He felt like calling Kathy, Chunker's sister.

"Kathy," he said into the phone. "How would you like to go to the park and have a game of tennis?"

Kathy met Howie outside her apartment house. She was a tall, thin girl. Howie thought she was very pretty. Kathy and Howie had been good friends ever since they had been in grade shool. He didn't mind that she was taller than he.

Kathy won the first two sets.

"What's the matter with you, Howie?" she asked. "This isn't any fun. You've never let me win before. What's on your mind?"

"That's a woman for you," Howie said. "You've always wanted to beat me. Now that you have, you don't like it."

"Oh, come now, Howie. You know I didn't beat you. You let me win. I don't like that." She looked carefully at Howie.

"Maybe I was thinking about the baseball game," said Howie.

The two started to walk home.

"Chunker told me what a good game you played. He said the big league scout thought you were a fine player," said Kathy.

"You mean he thought I did all right for a boy of my size," answered Howie. This wasn't the first time Howie had talked to Kathy about his size.

"Howie, when are you going to forget about your size? You'll spoil more than a tennis game if you keep on thinking about it." Kathy looked a little angry as she talked to him.

"You don't understand," said Howie. "Girls don't . . ."

"Oh! I don't understand, don't I?" asked Kathy angrily. The two had reached her apartment steps. Now she stood in front of him. "Look at me," she said. "I'm tall. I'm taller than I like to be. I'm taller than a lot of boys. You ask me to play tennis because you don't think of me as a girl. Think of the boys who wouldn't ask me. Think of how many wouldn't ask me to a dance." Kathy sat down. "End of speech."

"Sorry, Kathy," Howie said quietly. "You look fine to me."

"Do you remember what Coach Dickers told you a long time ago?" asked Kathy.

"What do you mean?" asked Howie.

"I mean about going out for track. Remember, you told me about what he said?" Kathy said as she looked at him.

"Yes, I remember that," said Howie. "I like track. I like baseball, too."

"Why don't you talk to him about it?" asked Kathy.

Howie was silent. He remembered what the track coach and Coach Dickers had said to him. They had said that he was built to be a runner or a pole-vaulter. He remembered how he had only half listened. Baseball and football were the only things he could think about then.

"Maybe I will talk to him," said Howie.

Someone spoke to them from the darkness. "What are you doing?"

"Hi, Chunker," called Howie. "We were playing tennis. Kathy beat me. She doesn't like it. Girls are pretty strange."

"Well, that's news," laughed Chunker. "But I have some bigger news. I just talked to Mike. He says she's down at Bump's store."

Howie jumped up. "Do you mean it? Yoweee!" he yelled. "I can hardly wait to see her. Tomorrow is Saturday. I'll be at the store all day. I'll be near her." Howie smiled at Kathy.

Kathy looked from one to the other. "Are you two crazy or something? Who is she?"

Howie and Chunker started laughing. "She is just about the greatest thing there is," said Chunker.

"Yeah," laughed Howie. "She is going to be lots of fun."

"Stand still and tell me. Who is she?" asked Kathy angrily.

"She is the Black Maria," said Howie.

"Hey, that's what we'll call her," exclaimed Chunker. "Howie you have a giant brain to think of a name like that. And that is all we're going to tell you, sister dear," he added.

"Maybe, just maybe, we'll show her to you...someday," added Howie.

"Thanks," said Kathy. "Thanks a whole lot. I think I'll go in. Maybe you will have your senses back by tomorrow."

She turned on her heel and went in. She had been around these boys a good many years. They weren't going to tell her anymore tonight. She wasn't going to stay around. They would like to have her beg them to tell more about the Black Maria.

What's the Answer?

Saturday morning Howie awoke early. He dressed quickly. In the kitchen he found Coach Dickers making breakfast.

"Good morning, Howie," said the coach. "Do you mind if I go to work with you? I'm just as much in a hurry to see the Black Maria as you are. I think Bumps should keep that name for her."

A short time later, Coach Dickers and Howie drove up to the sporting goods store. It was owned by Bumps. He was also the golf pro. Bumps liked two things: sports and boys.

Bumps' store was a place where the boys gathered. He had a big room in the back of his store. It was really for boats, but Bumps let the boys use it. They could fix their cars and bikes there. When he wasn't busy, he would help them.

Mike Fisher and Howie were the two high school boys who worked for Bumps. But Howie and Mike were not the only boys who talked their problems over with Bumps.

This morning the boathouse door was open. Coach Dickers and Howie hurried in. There she stood. Bumps and Mike were looking proudly at the Black Maria. Their eyes were shining.

"Wow!" said Howie. "Is she ever a beauty!"

She was a black, shiny patrol wagon.

"Come here and look at the motor, Coach. It looks as if it were brand new," said Bumps.

"This is going to be just right for fishing trips," said the coach. "There's plenty of room for boys and equipment."

Howie ran to look in the back. There was Chunker, stretched out on one of the benches that ran along the side of the wagon.

"Isn't this something?" he asked Howie. "Come on. Get in."

Howie and Mike both jumped into the back.

"Look," exclaimed Chunker. "It's long enough for me to sleep in it. What a car for trips this is going to make."

"Bumps says that if the motor seems all right, we can take it up to his cabin this weekend," said Mike excitedly.

Several thoughts passed through Howie's mind. "I wonder if the fellows really want me," he asked himself. "Maybe they only asked because I work for Bumps and live with Coach Dickers." The thoughts were not new to Howie. He tried to put them out of his mind.

Saturday was an exciting day. Howie spent as much time as he could looking over the Black Maria. It seemed that everyone who came to the store wanted to see the patrol wagon.

At six o'clock Bumps came from the golf course.

"What do you say we close up the store and take a little ride?" he asked.

"Do you mean it?" cried Howie. "I can hardly wait to take a ride in her. Just let me call Mrs. Dickers. I'll tell her not to wait dinner for me."

In a few minutes Bumps and Howie were riding smoothly down the road.

"I can hardly hear the motor," said Howie.

"It sounds all right to me, too," answered Bumps. "You fellows can plan to take it to the cabin this weekend. I may not be able to go along. You fellows go anyway."

Bumps pulled over to the side of the road. "Here, Howie, you drive awhile. I want you to get the feel of it," offered Bumps.

Howie slipped under the wheel. He pulled the seat forward and sat as tall as he could.

"I feel as if I were a king," exclaimed Howie. "A small king," he added with a laugh.

They had driven for some time when Howie said, "Bumps, there's something I'd like to ask you. Do you think I'd be a fool to keep on with baseball? You know I want to be good enough to play on something besides a high school team. I want to be really good in some sport."

"You'd be a fool to stop playing baseball when you like it so much," answered Bumps. "I heard that you played a great game in front of that big league scout."

"If you heard that, you must have heard the rest," Howie said. "I mean how he said I was too small."

"Howie, we aren't very far from my apartment," said Bumps. "Drive over that way. There's something I want to show you."

Howie had never been to Bumps' apartment before. He wondered what Bumps wanted to show him.

They entered the apartment where Bumps lived alone. There were golf awards standing everywhere. A mounted fish hung on the wall. "Someday I'm going to have a place like this," thought Howie. "Of course, I may not have the awards. I could have the fish anyway."

Bumps opened a long cupboard. Inside were lots of books.

"When I was your age, Howie, I had a hobby. I gathered stories and pictures about great men in sports. There are a few here that I'd like to show you, then I'm going to answer your question."

"Do you see this man?" Bumps pointed to a picture in a scrap book. "His name is Phil Rizzuto. A scout once told him he was too short to play baseball. The scout told him, 'Go home.' Phil Rizzuto did go home, but he didn't give up trying. He became one of the Yankee's most important players."

Bumps opened another book. "This is a picture of a man named Cunningham. He loved to run, but a fire burned his legs. People said he was lucky to be able to walk at all. His legs gave him trouble all of his life. He did what many people in his day said could not be done. He ran the mile in just a few seconds more than four minutes."

Bumps closed the last book. He sat back in his chair. His eyes looked straight at Howie. "So you want to be really good in some sport? What all this boils down to is this. First a person must want to do a thing very much. Then he must take a good look at himself. You could keep trying to play good football and basketball. You might make it. But the chance of your making a name for yourself in some other sport may be better. You were great in track. Not all fellows have a choice of sports."

"Let's look at what you have. First, you're fast. Your timing is good. You can think on your feet. You have a lot going for you." said Bumps.

"I wouldn't give up baseball, if I were you. But I would work on something else, too. Now you were very good in track and field when you were a freshman. What about it? I know you like to run and pole vault. Do you think you would care to put your heart into training for track? I mean really training. I think you could do your best work in track and field. You could practice from now right on through summer."

Howie thought for a time.

Bumps did not wait for an answer. He went right on talking.

"It would mean giving up a lot of things. First, you need to stop thinking about being short. Work at putting it out of your mind. If you decide to really train, you will have no time to waste thinking about how short you are.

"You may not get to the top. If you've given it everything you have, you'll feel all right. If you don't get to the top, and you haven't tried your hardest, then you'll never feel right."

Howie looked at the pictures and books in front of him.

"As you know, I was a track and field coach before I became a golf pro," Bumps went on. "I think I could help you. You could begin practice at once. Mr. Bell, the track coach, is a fine man. He was very sorry when you gave up running and pole vaulting. Go home and think about it. Think about it this weekend. Then come and tell me your answer. Don't do it if even a small part of you doesn't want to try."

"Thanks, Bumps. I'll think about it," said Howie.

"Don't thank me," said Bumps. "If you make up your mind to really train, there will be times when you will wish you had never seen me." Bumps rose from his chair.

"Now, why don't you keep the Black Maria at your house overnight? You can bring her back in the morning."

Howie went out into the night. Maybe this wasn't the end of sports for him. Maybe this was the beginning.

The Black Maria started easily. It was fun to drive her through the streets. He carefully parked the wagon in the Dickers' driveway.

As he got out, the thought came to him. He had driven the patrol wagon home. It hadn't changed. But he had changed. Not once on the way home had he felt small or short.

Howie hummed as he walked into the house. "Maybe it was possible to forget about being short," he thought. "But was it possible to be really good in track and field? What if he did give up baseball? What if he did work hard on running and pole vaulting? Would he be pushed out by taller men?"

Sleep did not come easily to Howie that night. "How can a fellow make up his mind about something like this?" he asked himself.

His mind drifted to thoughts of the Black Maria. He smiled.

In the days that followed the boys seemed unable to stay away from the Black Maria. They began by cleaning every inch of the body and motor. Soon they started on the inside. Every evening the boys carried new 'finds' to add to the camper. By the end of the week, things had begun to take shape.

"Hey look, fellows," pointed Mike. "We can add a bunk above these benches. They could fold up against the side."

Chunker shook his head. He looked worried.

"What's the matter?" asked Mike. "Don't you like our idea?"

"It's those benches," answered Chunker. "Maybe some of you fellows can sleep on them. Me... I need something wider."

The boys laughed. "He's right," said Howie. "We'll make one of them wider. We'll be glad to do it ... to make it safe for ourselves."

"What do you mean?" asked Chunker.

"We sure don't want you sleeping above us," said Howie.

Chunker was about to throw something at Howie when they heard Bumps' truck.

"Here, give me a hand," called Bumps. "I have some rubber padding for the bunks."

The padding was quickly unloaded. "This is great," exclaimed Chigs. "I'll bet my mother will cover it for us when we have it cut to size."

Bumps and the boys climbed inside. "You men have really made a good start," Bumps said. "Now, over there we can put an ice box. I know where I can get one from a boat."

"Wow!" yelled Chunker. "Now we're getting someplace."

"Good idea," agreed Chigs. "But we'll need something else. We'll need to put a padlock on it. Then we need to find a way to keep the key away from Chunker."

"Look what time it is," said Howie. "I need to do some studying before I go to bed."

"Yes, you better 'knock it off' for tonight," agreed Bumps.

Bumps stepped back to look at the Black Maria. "I thought I had a real 'lemon' when I made a bid on this and got it. Now it may turn out to be the best thing I ever bought."

Just then Chunker let out a big "Ahhhhh."

"What's the matter with you?" asked Mike.

"I've just thought of something that I'm going to bring tomorrow night. It will put this camper in a class all by itself. What's more, I'm not going to tell you what it is. You're just going to have to wait until tomorrow night. That's what you get for picking on me."

"Aw, come on, Chunker. Tell us. You really eat like a bird. I'll swear to it," said Mike.

"Nope," said Chunker. "You fellows always forget that I'm just a growing boy."

Howie looked around. "Anyone here want to make him tell?"

"Not me," laughed Chigs. "Come on, let's go home."

Howie hung back as the boys said good night. He wanted to say a few words to Bumps. Then he thought, "I really don't have anything to tell him. I haven't made up my mind." He hurried into the night to catch up with the other boys.

The next night Chunker was the last to reach Bumps' store. Dan was with him. Together they were carrying a long roll of some kind wrapped in brown paper. There were, "Ohhs", and "Ahhs", as it was carefully unrolled. It was a bright red rug.

"Oh, this is the best yet," said Bumps. "Where did you get it?"

"From the cook at the club house," answered Chunker proudly. "They are putting in new carpet over there."

The room was quiet for a moment as the boys looked at each other. Then they broke into wild laughter. Howie fell to the rug. He was the first to put their thought into words. As soon as he could get his breath he said, "We knew it would have something to do with food."

EGGS

Strange Weekend

The time for the weekend at Bumps' cabin drew near. Howie had not made up his mind. Part of him planned and laughed with the boys. The other part of him kept thinking and wondering. The same thoughts and questions came to his mind again and again. "Shall I give up all thought of sports? Shall I tag along on football this fall? I won't be able to play football if I go out for cross country and track. What about baseball? How can I give up that game when spring comes? Somehow, I must make up my mind this weekend."

Howie was to think back on this weekend many times. Something strange and scary happened to help him make up his mind about track.

Mike and Chunker and Howie had asked two other boys to go along to the cabin. The boys were Chigs and Dan. Chigs was one of Center City's basketball players. Dan was a football player. Both boys were tall. Howie felt shorter than ever as he worked with them getting ready for the trip.

Friday night came at last. Everything was ready. The boys jumped into the Black Maria. Coach Dickers and Bumps were on hand to see them off.

Mike slid into the driver's seat. "Are you sure we have everything?" he asked.

"Did we pack all the food?" wondered Chunker.

"Find out where the fish are biting," called Bumps.

"We will. Good-bye. See you on Sunday," called the boys.

Mike pressed the starter. The Black Maria did not start.

"Hey, you have to turn on the motor first," yelled Dan from the back of the wagon.

"Oh, no," laughed Mike. "I did forget. Well, here we go."

The Black Maria started slowly. It was almost as if she did not want to carry such a heavy load.

"Step on it," yelled someone from the back. Soon they were riding smoothly down the road.

"This is the life," said Dan. He stretched out in the back.

"I'm glad we're off," said Chunker. "I was so afraid something was going to happen to keep me from going. I haven't even been able to eat." He opened a big bag. "Anybody want a cookie?"

"Chunker, you just finished eating," said Howie.

"I can't seem to remember eating," answered Chunker.

"I can't either," said Mike. "Feed the driver first."

Hungry hands dug into the bag.

"Let's not forget to stop and check that rear tire the way Bumps asked us to," said Chunker. "We don't want anything to go wrong now."

The boys laughed and talked and planned as they rode through the night.

About midnight Mike asked, "Do you want to drive for awhile, Howie? I'm going to go in the back and stretch my legs."

"Sure, I'd like to drive," answered Howie.

Mike pulled to the side of the road so they could change places.

As he moved into the driver's seat, Howie was about to make a joke about being too short to see the road. He stopped himself. No more thoughts about that, he said to himself.

"Hey, close the screen. We can turn the light on back here," said Chunker from the back of the patrol wagon. "The light won't bother the driver then. We can have a game of cards."

"Good idea," said Mike. "You are a thinker."

"This is really nice back here," Chunker called up to Howie. "I'll drive as soon as I win this first game."

There was a roar of laughter from the other boys.

"I'm going to stop and check that tire," yelled Howie after a few miles.

He drew over to the side of the road and got out. Two motorcycles sped past the patrol wagon. They slid to a stop. A big rough-looking man got off one of the motorcycles. A smaller man, but with the same rough look about him, got off the second motorcycle.

"What's the matter, little man?" asked the bigger of the two men. "You got trouble? Maybe we can help you."

"No, thanks," said Howie. "I'm not in trouble."

"That's what you think," said the smaller man. "Let's see what's in your billfold."

Howie stood not knowing what to do for a minute. The big man took a step toward Howie. At that minute, the back door of the Black Maria opened. Light streamed from the doorway. Chunker, Mike, Chigs, and Dan piled out. Chunker looked huge in the dim light. The other boys looked almost as big.

"Could we help you?" asked Chunker.

"Yeah, like help you on your way," offered Mike.

The man let out a grunt. He turned and hurried toward his motorcycle. The shorter man already had his started. There was the roar of the motors. They faded into the darkness.

For a minute none of the boys said anything. In that minute Howie knew what he was going to do. The words 'little man' rang in his ears. "All right, I am little," Howie said to himself. "But I'm going to be 'big' in something. I'm going to be big in track. I am going to do it. At least I'm going to try with everything I have."

Suddenly, Howie felt wonderful. He felt like laughing.

"Did you hear what that guy called me?" asked Howie. He swelled out his chest and made a fist. " 'little man.' Who did he think he was talking to?" Then Howie started to laugh. "Did you see the look on his face when you fellows came out?"

All at once they were all laughing. Howie laughed hardest of all. Now that it was over he felt light-hearted and happy. He knew what he was going to do. Besides, there was a whole weekend of fun ahead.

"What's so funny," said Chigs as he got back into the patrol wagon. "I was winning and now look. My cards are all messed up."

Five tired boys reached the cabin a little later. They rolled into their sleeping bags.

"Wake me when breakfast is ready," said Chunker.

A groan greeted him from the other bags.

Howie felt tired but wonderful. He lay awake after the others were asleep. It was such a good feeling to be with the fellows.

The moon shone through the window. The voices of many frogs called in the darkness. His mind seemed very clear. It seemed easy to think here in the woods.

"What had the man on the motorcycle called him? 'little man,' he said. That's what I am," thought Howie. "A little man! I'm never going to be anything else! I'm never going to be any bigger!"

Howie held his breath. Never had he let himself think such a thought. He had always thought that someday he would grow taller. Now, suddenly, he knew that he was never going to be any bigger.

Then a smile came to Howie's face. He pushed his legs down in the sleeping bag. His body felt strong and fit. "So I'm short," thought Howie. "So what!"

"I'm going to be something more than a 'little man.' I'm going to be good at something. What's more, I'm going to start practicing tomorrow. My mind is made up."

He fell into a deep sleep.

Howie did not know that something else strange was to happen. It was to put all thoughts of sports out of his mind for several days.

Surprise Offer

When Howie reached home on Sunday night, there was a note for him.

"Please come to my office before you go to work
in the morning . . . Judge Frankson."

Judge Frankson's office was at the end of a long hall. Howie liked to talk to the judge. He did not like to walk down the hall. He remembered the other unhappy times when he had walked down this same hall.

"Come in, Howie," said the judge. "Let's go in to my inner office to talk."

The judge waved his hand toward a chair. He seated himself behind his desk. "It's good to see you, Howie. How is everything? Are you happy at the Dickers'?"

"Fine," said Howie. "I like living at Coach Dickers' home. It's ... well ... it's home."

"And your job?" asked the judge.

"That's fine, too," answered Howie. "Bumps lets me work whenever I can. He doesn't mind when I take time off for school or practice. I'm lucky to have that job."

"I'm happy to hear that, Howie," said the judge. "The school tells me that you are doing well in your classes."

"Judge, are you sure you don't know who sends me money every month?" asked Howie. "I'd like to be able to tell them how much that money has meant these past months."

"So ... it's still coming, is it?" said the judge. He leaned back in his chair. He thought for a minute. Then he shook his head. "No, Howie. I don't know who sends it to you. It's very interesting about that money. There are a lot of fine people in the world. The finest are those who do something good and don't tell the world about it."

"I've been able to save quite a bit of the money," said Howie. "I'll need it to go on to college."

"Let's talk about why I called you," said Judge Frankson. He looked at the clock. "In about ten minutes your uncle is coming in here."

"My uncle?" said Howie in surprise. "Do you mean my mother's half-brother from Texas?"

"Yes, he called me yesterday. I don't know what he has on his mind," said the judge. "I think it's more than just a visit to see you."

At that minute the door opened. Miss Bow from the outer office stood in the doorway. "Mr. White is here to see you, Judge Frankson," she said.

"Please have him come in," said the judge.

A short, heavy-set man appeared in the doorway. Howie and the judge stood up. The judge went over to meet him and shook his hand.

"Good morning, Mr. White. I'm Judge Frankson and this is Howie."

The man nodded to Howie.

"How do you do," said Howie. He felt as if he should say more. Nothing else came to his mind.

"So you're Howie," said the man. He looked for a minute at Howie. Then he dropped into a chair. "This is a hard city to get around in," he said.

Howie stared at the man. There was nothing about him that made Howie think of his own mother.

"I'll come right to the point," said Mr. White. "I've been thinking that this boy should live with me and my wife. It's only right."

Howie felt his heart begin to pound. He looked first at his uncle and then at the judge.

The judge leaned back in his chair.

"That is an interesting offer," said the judge. "Of course, you know Howie is living with Mr. and Mrs. Dickers. He's very happy there."

"We talked it over, the wife and myself," Mr. White went on. "We think it's only right that the boy come and live with us." He turned to Howie. "You'd like that, wouldn't you?" he asked.

Howie's thoughts were all mixed up. He could not seem to say anything.

Judge Frankson did not wait for Howie to answer. "Let's not ask Howie that question just yet," he said. "First, there are a few things I'd like to ask you."

"I don't know what there is to ask," said the man. "I'm the boy's uncle. He has no one else."

"May I ask you a question?" the judge went on. "Why are you making this offer now? Why didn't you make it before?"

"Well, we couldn't make it before," said Mr. White. "I run a store. We work hard. My wife used to work in the store, too. Now she thinks she wants to work some other place. We could give Howie a good home. He could help me in the store, and things would work out fine. We don't have a fancy place. But he would have everything he needs."

"I'm sure Howie is happy to hear your offer," said the judge. He looked at Howie.

"Yes, sir," said Howie. He didn't know what else to say.

"However, there are a number of things to think about," the judge continued. "As you know, the court has placed Howie in my care. I need to be sure that whatever is done is the best for Howie. Also, whatever is done must be what Howie wants. He is no longer a child, Mr. White."

"I don't see what there is to think about," said Mr. White. "I'm sure a boy would rather live with his own uncle than with anyone else. What else is there to think about?"

"As you know, Mr. White, there was very little money after Howie's folks were killed. That money has been put in trust for Howie. It will be used to help pay for his college years. There won't be enough, but it will help. Now, the state pays money each month for Howie's keep. There is something Howie does not know. I'm going to tell him now. Mr. and Mrs. Dickers are putting that money away in the bank for him. It will be a big help when he goes to college," said the judge.

Howie could only look at the judge. He was too surprised at all that was happening to say anything.

"That's mighty nice of them," said Mr. White. "But I don't think that makes up for living with his own family. We'd be his family."

"Howie must finish high school," said the Judge. "It would be a little hard to change schools now. It could be done. But Howie has his friends here. He's happy, I'm sure. On the other hand, you are his uncle. We will need to think of all of these things. What is best for Howie is our main concern."

"I never thought there would be any question about any of this," said Mr. White. "I thought everyone would be glad to have us take Howie. I thought he could start back with me today or tomorrow."

"I'm afraid things can't move that fast," said the judge. "First, I want Howie to have time to think it all over. Then, if he decides he might like to live with you, I want him to visit you. You see, this is a young man we have here. It won't be very long until he will be on his own. We can't make up his mind for him. I'm going to ask Howie to leave us now. I'd like to talk to you alone, Mr. White. Howie, you may go back to work. Mr. White may want to talk to you after we're finished here. I'll be happy to take him over to the sports store."

Howie stood up. "I'm glad I met you, Mr. White. Thanks for your offer. I hope I see you later."

Mr. White seemed too surprised at what had happened to say very much. He shook Howie's hand and nodded his head.

"I'll talk to you later, Howie," said Judge Frankson. "Why don't you talk to Mr. and Mrs. Dickers and to Bumps. They are all good friends. They may be able to help you think clearly."

Howie had never felt the way he did now. His thoughts were racing around in his head. He had almost forgotten he had an uncle. He had never seen him before. There had been a letter at the time his parents were killed. There had been no word from him again.

"He is my family," said Howie to himself as he walked to the store. "He is the only family I have."

"I've Made Up My Mind"

Howie walked slowly to Bumps' store. He was glad that Bumps was alone. Howie told Bumps all that had happened in Judge Frankson's office. Bumps said nothing for a long time after Howie stopped talking.

"I can only tell you how it looks to me," said Bumps at last. "I'd like to see you stay with the Dickers. You're happy there. You have a good start in this high school. This is no time to change schools unless you have to. It seems to me that your uncle should have come to you before this. He could have asked you to come for a visit or something. Maybe I shouldn't say that. It's the way I feel. I don't know how I'd feel if I were you."

Later that day, Howie talked to Coach and Maggie Dickers. The three of them talked for a long time. They could only tell him what he already knew. They were happy to have him live with them. He could live with them as long as he liked. They wanted Howie to do what would make him happy.

In the end it was up to Howie. He knew that it had to be that way.

Howie lay awake for many hours that night.

All the next day he turned the matter over in his mind.

After the store was closed, Howie walked over to Judge Frankson's house. The judge was outside in the yard. He and Howie sat down on the garden wall.

"I've made up my mind," Howie said. "I know what I want to do. I don't know if it is what I should do."

The judge waited.

"I want to stay with Coach and Mrs. Dickers," said Howie.

"I'm glad," said the judge. "There's no reason why you shouldn't do what you want to do."

"It would be nice to have somebody. . .some place where I belonged..." said Howie slowly.

"You do have someone," said the judge. "And you belong right here. A lot of people care about you. Don't ever forget that. Your life is here. Your friends are here."

Howie ran back to the Dickers' house.

"Hello," he called. "Is anybody home?"

Maggie Dickers came to the door to meet him. Her face held a question as she looked at him. She smiled. "Hello, Howie."

"Hello," answered Howie. "You're not going to get rid of me. I've made up my mind to stay here. I just told Judge Frankson."

A big smile spread over Maggie Dickers' face. "Oh, Howie!" she exclaimed. "I'm so glad." She took his hand in hers. "I'm so very glad," she said again. "Let's go tell the coach."

Tears came to Howie's eyes as Coach Dickers shook his hand. The judge had been right. He did belong here. No home could be better than the Dickers' home.

Later that night Howie said, "I think I'll run over to Bumps' house."

"Take the car if you like," said Coach Dickers.

"Thanks, I think I'll run. You see, I'm going to go back to track. And this is a good time to start getting in shape."

"Well," said the coach with a broad grin. "You've made us happy. Now, you're going to make Coach Bell happy. Good luck, Howie. I'll help you in any way I can."

Howie was panting when he reached Bumps' apartment.

"What's the matter?" asked Bumps as he swung the door open. "What are you panting about?"

"I thought I might as well start training," laughed Howie.

"You mean ... Well, I'll be!" exclaimed Bumps. He threw the paper he had been reading into the air. He pumped Howie's hand up and down. "You've made up your mind to stay in Center City haven't you?"

"That's right," said Howie. "And I'm going to start practicing for track right now."

Bumps rubbed his hands together. "That's the best news I've ever heard. Oh, I've been waiting for this. Now I can tell you something. I didn't want to say too much before. I think you can be really good at sprints and pole-vaulting. Remember when you tried track before? Well, I was watching you then. I can tell a runner when I see one. You looked good to me."

Howie listened and said nothing. He knew that Bumps meant every word he was saying.

"Do you remember when you set a pole-vaulting record for junior high?" Bumps went on. "I watched you then, too. You handled that pole well. You made very few mistakes. Now Center City has glass poles. They should really help you."

The room was quiet. Then Bumps started talking again. This time his voice was low. "If you really want to be good, it isn't going to be easy. You'll have to train when others are having fun. But I believe you have what it takes."

"How should I begin?" asked Howie. "I've been lifting weights and. . ." Bumps did not let him finish. Howie was glad. He had never told anyone about his weights.

Bumps was excited. "Did you ever hear of the Speed Play way to practice?" he asked. "An Olympic coach figured it out. It's something you don't have to do on a track. The idea is to keep on the move . . . in different ways."

"I don't know what you mean," said Howie.

"It goes like this," answered Bumps. "Here, let's write it down." He reached for a paper and pencil. "After while you can change what you do to fit yourself."

"Always warm up," he said as he looked straight at Howie. "I mean always. Warm up by just easy running for about five minutes." Bumps started to write as he talked. "Then run fast for ... well, you should be able to work up to a half mile or more very soon. After that, walk fast. Then start your easy running again. Add a few windsprints until you feel tired. It's a good idea to take a few fast steps now and then. When you're running fast, pretend someone is behind you. Don't let them catch you. Then drop back to easy running. A few of those hills out on the golf course would be just the thing."

As Bumps talked, Howie could feel himself getting more and more excited.

Howie left Bumps' apartment several hours later. He and Bumps had talked over every part of a good training day. "This is going to be a busy summer," Howie thought. For just a minute he felt a little sad. It was not that he was afraid of working hard. But practice was going to be a lonely time.

The thought that everything would be much easier if he were not so short started to push itself into his thoughts. Howie shook his head. "None of that," he told himself.

Some days later, Howie did something he had never done before. He showed someone his weights and springs. That someone was Coach Dickers. Never before had Howie wanted anyone to know that he exercised every day. Now his reason for exercising was different.

"I used to feel silly about those exercises ," laughed Howie. "I wanted to be strong. Most of all, I wanted to be taller. Now I know I won't ever be any taller."

"We're all a little strange at times," said Coach Dickers. "When I started coaching, I used to be afraid to shoot a basket or kick a football in front of my students. I thought I had to be perfect. Well, I soon learned that the boys were better than I was. It took me a while. After a time I learned that my job had very little to do with how well I could handle the ball."

Howie and Coach Dickers laughed together. Then Coach Dickers went on. "Your exercises have put your body in fine shape. Why don't I sit on the bed while you go through them. Maybe I can give you a few pointers."

"Good," said Coach Dickers after he had watched Howie for a little while. "Remember to keep your feet close to the weight when you pick it up. Keep your head up. That's it. Look right straight ahead."

Howie's body was soon damp from the work-out.

"I'm glad to see you remember to bend your knees when you lift the weight. Keep your back straight."

For an hour Coach Dickers talked and went through the exercises with Howie.

"Thanks," said Howie as the coach was leaving his room.

"Don't thank me," answered Coach Dickers. "I've only done some talking. The real work is up to you."

A Lonely Business

"The work is up to you," Coach Dickers had said. As the summer months went by, Howie remembered those words.

He remembered them every morning. He rose early enough to jog and run through the park before he went to work. Some mornings he ran through the golf course.

People who lived near Coach Dickers grew used to the sight of Howie running down the street. Many of them waved a greeting as he passed. Children stepped aside and proudly called, "Hi, Howie."

Practice for cross country began before school started. Many basketball players joined in this sport. It was a good way for them to get in shape. For most of the boys, it was the beginning of track and field practice. Coach Bell believed in all year training.

At the first practice, the coach waved the boys to a seat on the grass. "I'm happy to see so many of you here," he said. "This sport takes hard work... just as any other sport does. You will find it very different from basketball and football. Why? Because you are on your own. You can have a meet whenever you want one. Sure, some days you will be trying to beat others. But everyday you can try to beat yourself. There's nothing more exciting than beating your own record. That's true even if you get to be the best in the school or the best in the state."

Something about the way Coach Bell talked made the boys sit a little straighter.

"You can do a lot to help yourself," he went on. "Eat the right foods. Get plenty of sleep. If you smoke -- stop. That's all I'm going to say about that."

"We have a long season for practicing out of doors. We can have some interesting times. We'll have our own meets before spring comes. After your tryouts you'll be divided into teams. Then we'll have team meets. Sometimes we'll have inter-class meets," said the coach.

"We'll make a trip to watch the State University indoor meet. A few of the University track stars will be down here to show you how it is done.

"There will be ribbons for the winners at each of our meets. Besides that, there is a Coach's Medal. This goes to the man who makes the biggest gain this year. Anyone of you can win this. Believe me, I think this is one of the most important medals to work for."

Coach Bell talked on about how to train. Then he stopped and looked carefully at the group of boys in front of him. His voice went on very slowly. His eyes seemed to look at each boy. "If you train in the right way, you'll be working very hard. No matter how hard you work there is one more thing.....you must want to win. You must believe that you can. That's what gets you to the top. The top may be different for each of you. The top is the best that each of you can do. Set a goal and then work to reach it. If you reach it, set another, higher goal. Now, are there any questions?"

"What if we don't know what we're best at?" asked one of the boys.

"Good question," answered Coach Bell. "Sometime in the next few weeks everyone will try out in five events. They are the hundred yard dash, the high jump, the broad jump, the shot put, and the pole vault. Yes, even you boys who were on the team last year. After a few days we will make a record of your best trials. You'll soon find your best event. Now, Dick Ranger, lead these men in a warm-up. Then we'll get started at some running."

"That's Dick Ranger, the pole-vaulter," said Howie to himself. He watched the tall boy as he led the warm-up.

"Now let's do a little running," called out Coach Bell. "Remember, keep your running form."

Most of the boys tired quickly. It gave Howie a good feeling to know that he was in better shape than most of the boys.

"You sprinters, remember to run on the balls of your feet," Coach Bell told them. "Don't rock your shoulders."

Coach Bell seemed to see everything that went on. "Remember the warm-up is the most important thing you do each day. If you don't do a good warm-up you may end up in a cast. You won't be any good to yourself or to anyone else then."

After warm-ups, Coach Bell stopped Howie and Dick. "Why don't you two set up the pole vault. I know you have both been working out this summer. You should be in good shape. Dick can give you some pointers, Howie."

"Fine," said Dick. He seemed to be looking Howie over.

"Howie," said Coach Bell, "you'll want to practice the sprints and the pole vault. As I remember you were pretty good in both."

"We're always in need of more good men," the coach went on. "We've been really short of good pole-vaulters. I hope you can work into both events. Sometimes in a hard meet we need to save the vaulters just for that event. However, it often works out that you can do two events."

Howie felt nervous as he made ready to jump. Dick was taller than Howie. He felt better when Dick said, "Coach will want us to set the bar two feet below our top mark. He wants the bar to move up only when our form is perfect."

"Good," smiled Howie. "It will need to be pretty low for me."

Howie's days were the busiest he had ever known. What Coach Bell had said was true. Track was exciting.

Some of the long distance runners proved to be much better than Howie in cross-country running. That did not take away from the good feeling Howie had. That feeling came because he was able to run better than many of the basketball men.

Howie was one of the better sprinters. However, one thing became clearer every day.

Coach Bell was saving Howie for pole-vaulting.

As fall came to an end, Center City had two good vaulters. They were Dick Ranger and Howie. Dick seemed always to be a little better than Howie.

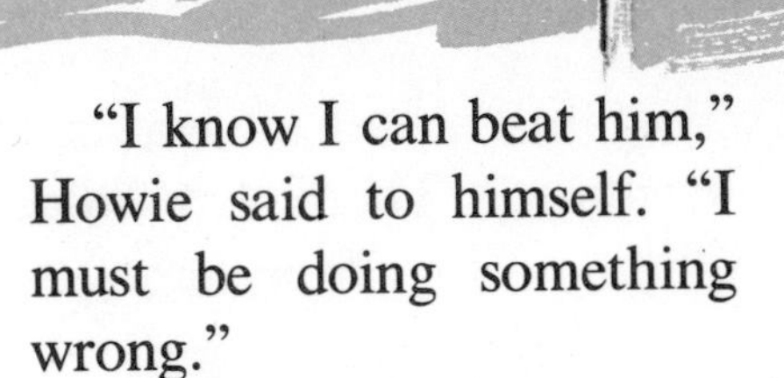

"I know I can beat him," Howie said to himself. "I must be doing something wrong."

Coach Bell said there would be a meet by grades on Friday. This meant that Howie and Dick Ranger would be trying for the winning spot. Howie was as excited as if they were meeting with another school.

Friday came. "I have to beat him," Howie kept saying to himself. The bar was raised higher than Howie had ever jumped. He was up and over! This was his lucky day.

Dick Ranger must have had the same good feeling. He beat his record, too.

When it was all over, Howie shook Dick's hand. "You've got me beat for today, Dick," he said. "You did a good job."

Howie tried his best at the next two class meets. He had never vaulted better. It did no good. Dick Ranger was always better.

There came a time when Howie seemed unable to vault any higher. Dick Ranger was making almost two inches higher than Howie was able to go.

Howie felt as if he were backed against a wall. He had been working on both sprints and pole-vaulting. There were others who were better in sprinting. "Where do I go from here?" he asked himself.

"Don't let it get you," a voice beside him said. Howie turned to see Coach Bell. "I think you have reached a place that everyone reaches at some time or other. It seems that you can't go any higher, doesn't it? Don't be too upset. We're going to lay off for the Christmas weeks. When you come back, things will be different. The chances are good that you will up your mark."

Coach Bell looked at Howie, "Your hard work will pay off. You'll see."

Howie was not very happy when he left the locker room. As he left the building, there was Kathy swinging down the sidewalk. He ran to catch up with her.

"Kathy," he called. "Wait a minute."

"Well, Hi," she said. "I haven't seen you for a long time."

"No, I've been busy." Howie did not want to talk about track. He quickly asked Kathy, "Did I see you practicing on the girls' drill team?"

Kathy laughed. "Yes, would you believe I made it? Of course, I'm taller than the other girls. That's why they made me the leader. I don't care. I like it."

Howie smiled. He liked this girl. She was prettier every time he saw her. He might begin to wish he were taller for other reasons.

"Has anyone asked you to go to the Christmas dance?" he asked her.

"If you're asking me to go, that's no way to do it," answered Kathy.

"What do you mean?" asked Howie. Girls were funny.

"I mean, you shouldn't say it that way. Say, 'Would you like to go to the dance with me?' That way I don't have to tell you that no one has asked me."

"I get it," nodded Howie. "Anyway, will you go to the dance with me?" He almost added ... unless someone taller asks you. The fact that he didn't say it made him stand a little straighter. He was doing better.

"Yes, I'd like to go with you," Kathy said.

"Good," Howie said. Suddenly, he felt a lot better. "Maybe I can even stop thinking about pole-vaulting," he said to himself. "It just can't be that I can't go any higher."

Howie was glad that Kathy did not ask him any questions about track. They talked for a few minutes when they reached her apartment door.

"Nice to see you," said Kathy as she turned to go in. "Stop over some time."

"Thanks. I will," answered Howie.

He supposed he ought to run the rest of the way home. He just didn't feel like it. Not today.

Howie opened the Dickers' door. "Hello," he called out as he always did.

"Howie, is that you?" said Mrs. Dickers from the living room.

"Do you have the paper?" he asked. Then he stopped. In the living room sat Judge Frankson and Coach Dickers.

"Oh, hello," said Howie. "How are you, Judge Frankson?"

"I'm fine. And how is the track man? I hear that you don't walk these days," answered the Judge.

Howie smiled.

"Come, sit down," said Coach Dickers. "There's something we want to talk over with you."

Howie looked from one to the other. He sat down.

"Judge, do you want to do the talking?" asked Coach Dickers.

"No," answered Judge Frankson. "I think you are the one."

Coach Dickers turned to Howie. "Maggie and I have a question we'd like to ask you, Howie. As you know, we have no children of our own. It has meant a lot to us to have you here. I hope you've enjoyed it as much as we have."

"Yes, sir. This has been home to me," said Howie. He began to have a terrible feeling in his stomach. "What was going to come next," he wondered.

"We would like to adopt you . . . make you our son. Now, I don't want you to give your answer now. I want you to think about it. If you say 'yes' you'll make us very happy. If your answer is 'no', we'll understand. Whatever your answer is, this is still your home," said Coach Dickers.

Howie looked at the other people in the room. He could not believe what he was hearing.

"We're not rich people," said Maggie. "We have a little money. We own a few things. If anything ever happened to us, we'd like you to have them. Most of all we'd like to have this be your real home."

"Do you mean that you want me . . . ?" asked Howie. How could this big coach and his wife want to call him their son?

"You may think you know your answer now," said Judge Frankson. "Think it over. I'd like to suggest that you wait until spring to give your answer."

"Now, let's all eat dinner," said Maggie Dickers.

"Good idea," answered the men.

When Inches Count

The next few days seemed as if they were a dream to Howie. He thought about Coach and Maggie Dickers' wonderful offer. He knew what he wanted to tell them. Something held him back.

There was something he wanted to do before he gave his answer. "If I could only break Center City's pole vault record," he told himself. "Coach Dickers would be proud to have a son who could do that. Why, it would almost be like giving them a present. . . . But what if I can't?. . . Don't think that way," he told himself.

When practice started again, Howie worked as he had never done. It was fun to work with Dick. There were other vaulters. Dick and Howie led them all. They were both getting closer to Center City's record. "Twelve feet, ten inches. Twelve feet, ten inches." The words rang in Howie's mind.

Spring meets with other schools started. Howie did his best. Dick Ranger was always able to beat him.

"Keep your run smooth, Howie," Coach Bell said one day. It was the last practice before a big dual meet. The coach went on. "I hate to change anything this late in the year. But there is something I want you to try. Start your pull-up just a little sooner and hold onto your pole a bit longer. You're rushing yourself. You have plenty of time. A wider hand spread will help, too. Try that for the rest of today's practice. I'll be back to see how you're doing."

"There, that's better," Coach Bell said a few minutes later. "Now, that's all for today. I'm looking for great things from both of you at the meet."

"Too bad you haven't been able to do more sprints," said Dick to Howie as they walked to the locker room. "Your time is good. I wish I could do 10.8 in the 'hundred'."

"Thanks, but a couple of fellows can do better than that," answered Howie.

"Maybe what I mean is that it's too bad for me that you aren't in the 'hundred' instead of the pole vault. I hope I can beat you," said Dick.

Howie smiled and said nothing. "Too bad we can't both win," he thought.

Howie dressed and hurried home to the Dickers' house. "I bet they think there's something the matter with me," he thought. "I hope I'm not hurting their feelings by not giving them an answer yet. I wish I could tell them why I'm waiting. I can't though. Oh, what if I don't do well on Saturday? Stop it," Howie said to himself. "Remember what coach said. I have to believe I can break that record."

"Hi," Howie's voice rang through the Dickers' home.

"We're out in back," called Coach Dickers.

"Come and join us," said Maggie Dickers.

Howie turned to go out in the back yard. His eyes caught sight of the letter on the table. "Say," he thought, "I almost forgot about my letter." He looked at it carefully and smiled. "It must be from the Dickers," he thought. "But why don't they want me to know? Well, this is something else I can thank them for. Might as well wait until after the meet for that, too."

After the Dickers had greeted Howie, the coach said, "This was your last practice before the meet, wasn't it?"

"Yes," said Howie with a shake of his head. "I could use a lot more."

"Coach Bell is hoping that you and Dick will both break the school record. We'll be there to see you do it."

Howie smiled. He didn't know what to say.

Coach Dickers put his hand on Howie's shoulder. "What do you say we take care of that dinner Maggie has ready?"

There was a big crowd at the track meet on Saturday. Howie knew that somewhere in the crowd Coach and Maggie Dickers were watching him. Bumps would be there, too.

After the warm-ups were over, Howie heard someone yell, "Come on, Howie, you can do it."

Then it seemed as if the crowd faded away. "Good luck," he said to Dick. He meant it.

"You too," said Dick.

Howie wished that those who ran the meet would not start the pole-vaulting height so low. He felt that he could almost fly. "Could he keep that feeling?" he wondered. The pole-vaulting took a long time. He had to keep this winning feeling.

One by one the pole vaulters dropped out. Inch by inch the bar was raised.

Now the bar was at twelve feet, ten inches. Only three vaulters cleared the bar. They were, Dick Ranger, Howie, and a boy named Brown.

Twelve feet, eleven inches. One inch higher than the school mark! Never had Howie vaulted this height. "I have to do it," he whispered. "I have to do it for Center City and for the Dickers. I have to do it for Bumps and all my friends."

The boy called Brown looked at the bar. Then he was running. Up---up he went. There was a second when he seemed to hang in the air without moving. Then he was over.

Now there was only Howie and Dick left to clear the bar.

Howie talked to himself as he made ready for his first try. "Think high. Not too fast, now. Think high!"

It all happened so quickly. He was over! He smiled as he hit the rubber on the other side. He had not even touched the bar. "Don't yell," he told himself. "Don't jump up and shout, even if you feel like it."

Dick Ranger was ready now. There he went! He was over... No! the bar fell. Dick shook his head. Again he tried. It was no use. He was not even close. The crowd let out its breath as he missed on his last try.

Now it was between Howie and Brown.

Twelve feet, eleven inches! Howie and Brown were getting tired. Both of them missed the first two tries. How was this going to end?

Last try for Howie! He began his run. Now he rammed the glass pole down and took to the air. There was just a second when it seemed that he would make it. Then the bar fell.

Howie made himself look as Brown made his last try. There was no need to look. Howie could feel that Brown was going to make it. Brown had not even touched the bar.

"Good work, Howie," said Coach Bell after the meet. "You're number two in the state. How does that sound?"

Howie smiled. He would like to have been number one, but he was happy. He had vaulted higher than any other Center City student. He had done what he had set out to do.

Now there was something else he had to do.

It was hard to hurry through the friends that gathered. "What will we do tonight?" asked the boys in the locker room after the meet.

"I'll call you later," said Howie as he rushed into his clothes.

"What's your hurry, Howie?" asked another boy. "Who is she?"

Howie was tired, but he ran all the way home. He opened the door and stood there panting.

Coach Dickers rose and came toward Howie with his hand ready. His face looked happier than Howie had ever seen it. "Well done," he said as he shook Howie's hand. "We're mighty proud of you, Howie."

"I'm just so happy, I don't know what to say," said Maggie.

Howie looked at them. He had so much to say. How should he start? "I'm glad I was lucky because..." he stopped. "I ... you see, I want you to be proud of your family."

Coach and Maggie Dickers looked at each other. Then Coach Dickers shook hands with Howie again. He looked first at Howie and then at Maggie. "Now I don't know what to say."

"Just say that this is about the happiest day of our lives," said a smiling Maggie Dickers.

"Run along and get ready," said Coach Dickers. "We know you have plans on a big evening such as this. Hurry up before the fellows get here."

Howie started up the stairs two at a time. All at once he stopped, turned, and almost fell down the stairs as he hurried down them.

"Maggie?" he called. "Coach?"

"Yes," answered the coach from the kitchen.

A big smile covered Howie's face as he swung into the kitchen. "I don't know how I could have forgotten," he said. "I think it's time I thanked you two for those letters. I mean the letters with the money in them. It took me a long time to know that they came from you. I don't know what to say except 'thanks'. Thanks for everything."

Maggie looked at the coach with a question in her eyes. Coach Dickers nodded.

"We didn't send the money to you, Howie," said Coach Dickers. "A very good friend of yours has been sending it. What's more we're lucky to have you in our family. The sender of those letters wanted you, too."

"Yes," agreed Maggie. "Judge Frankson thought that two people could make a better home for you than one. That's the only..."

"Bumps?" shouted Howie. "It's been Bumps all the time?" Howie shook his head. "I never thought...I guess I should have known. Oh, there's so much going on in my head."

A horn sounded from outside.

"That must be Mike." Howie turned and rushed up the stairs again.

Howie swung open the closet door. He grabbed his coat. As he started for door, he stopped. He walked to the closet and opened the door again. He laughed as he reached over and pulled the yard stick from the wall. He tossed it to the back of the closet. "This couldn't measure how tall I feel tonight," he said aloud.

"See you later," Howie called to Maggie and Coach Dickers as he opened the door to leave.

"Have a good time, son," they both called to him.

The Dickers waved from the window as Howie and his friends drove away. Maggie turned and smiled at the coach.

TEN FEET TALL

Howie Brown wants terribly to be important in some sport. At Center City High School, he has tried them all but is always too short. Find out how Howie finally makes it in sports and how he finds a home with Coach and Maggie Dickers.

NO TURNING BACK

Tom Hoffman, who becomes a star football player for Center City High, faces a decision at the time of the homecoming game that affects his relations with the Center City team members, the Coach, and his own family. Discover how an unexpected event solves Tom's dilemma and brings about a happy solution for all.

FAIRWAY DANGER

Mike Fisher's love of golf and skin diving leads him into mysterious and dangerous happenings at the Hickory Hills Golf Club. Read how Mike's loyal friends, Bumps Blake and Chigs Moreland, do some detective work of their own on Mike's behalf.

TIP OFF

Chigs Moreland, star basketball player for Center City High School, hopes to win a sports scholarship to State University when an accident takes him out of play. Center City needs Chigs to win the state tournament. Follow the chain of events that brings everything to a happy ending for all.

SER PADRES

Aprende a ser un padre del siglo XXI

SER PADRES

Aprende a ser un padre del siglo XXI

José Francisco González Ramírez

Copyright © EDIMAT LIBROS, S. A.
C/ Primavera, 35
Polígono Industrial El Malvar
28500 Arganda del Rey
MADRID-ESPAÑA

ISBN: 84-9764-323-2
Depósito legal: CO-00159-2003

Colección: Superación personal
Título: Ser padres
Autor: José Francisco González Ramírez
Diseño de cubierta: Visión Gráfica
Impreso en: Graficromo S. A.

IMPRESO EN ESPAÑA – *PRINTED IN SPAIN*

INTRODUCCIÓN

No tratamos de hacer un libro para que usted logre, como madre o padre, ser eficaz siguiendo unas normas marcadas de principio a fin: ¡no! Este libro le propone un modelo reflexivo sobre lo que significa ser padre hoy: lo nuestro es una reflexión de apoyo.

Muchos de los consejos y pautas que le vamos a ir sugiriendo, a lo largo de la obra, no son localizables únicamente para una sola edad sino que es aplicable a un gran abanico de contextos y situaciones diferentes. No por ello perdemos el rigor y la aplicación a las diversas edades que puedan tener nuestros hijos.

Nos regimos por la idea de que todo en la familia es más universal de lo que pensamos; el contenido sigue un hilo de Ariadna que comienza en la localización de la función de ser padre en nuestro mundo, y en nuestra época, con los condicionantes sociales y culturales que en la actualidad vivimos. Esa novedad la vamos a ir desarrollando en el sentido de procurar que todo quede perfectamente ubicado sobre la vida misma. Esta obra presenta referencias continuadas de casos reales que se dan en la familia y con relación a los hijos. Recogemos también una amplia documentación de artículos de libros y revistas muy actuales donde se plantea la problemática de ser padre eficaz.

También hay multitud de cuadros resúmenes que contienen ideas importantes de lo que le vamos a ir describiendo en la obra, y que hemos denominado con la palabra «*Pautas*», y que son ideas de síntesis, pero nunca propuestas de pasos lógicos sucesivos. Si a usted alguien le dice que ser un padre eficaz se logra como cuando seguimos una receta de cocina para hacer un plato de comida, le están confundiendo: eso no existe.

Hemos desarrollado, en forma de artículos, muchos temas de interés general sobre la familia actual. Hay algunas zonas de esta obra que se singularizan para la edad de la ternura (consideramos el período evolutivo de la infancia), y en el capítulo cuarto hemos incluido doce temas que son de mucho interés para los padres actuales.

Nuestra obra es de reflexión, pero no por eso está sustentada en la teoría y la especulación literaria, sino en la vida misma, pues el autor mantiene diariamente, por su profesión de psicólogo, contactos muy estrechos con familias muy diversas, lo que le confiere una gran experiencia sobre estos temas.

EL AUTOR

CAPÍTULO I

EL PADRE COMO EDUCADOR

Dejarse llevar por la sabia naturaleza

Existe una gran responsabilidad con los hijos, y no se puede elegir entre ser un padre indiferente o activo, entre hacer o dejar de hacer; ésa es una actitud poco conveniente. Hoy se reclama calidad en la familia, en su dinámica, en su razón...

Ser padre cambia su referencia con los tiempos, quizá hoy las exigencias sean mayores o, al menos, diferentes; quizá resulte más complicado por nuestro modo de vida, o a lo mejor es una tarea más sofisticada en sus funciones, o todo lo contrario: ¿tenemos que volver a captar lo que marca nuestra propia naturaleza?

(Me dijo una mamá muy joven: *«Dígame, por favor: ¿lo estoy haciendo bien? Me obsesiona dedicarme sólo a mis hijos y estar fallando. Me he leído todo cuanto ha caído en mis manos sobre los hijos; pero sigo preocupada y dudo: ¿lo estoy haciendo bien? ¡Dígamelo, por favor!» Entonces reflexioné sobre la inseguridad que padecemos en nuestro tiempo, y le dije a esa mujer llena de obsesiones, de temores, de inquietudes: «su inseguridad, su angustia, su continua revisión personal sobre cómo lo hace de bien o de mal le puede producir daño a usted y a sus hijos; le ruego que se deje llevar por su naturaleza...»)*

La función de ser padres hoy no es invariable o inmutable, como no lo ha sido nunca, o, todo lo contrario, es dinámica y revisable, principalmente en las exigencias educativas.

Debemos guiarnos por la naturaleza, pero también esforzarnos para ser mejores padres.

Debemos guiarnos por la sabia naturaleza, pero tampoco llegar a meter en ese saco sin fondo nuestra propia irresponsabilidad, nuestra falta de dedicación a los hijos; no podemos negar el desarrollo del potencial que existe en ellos aunque seamos ignorantes o nos resulte complicado ser padres, quizá porque no estemos interesados en ellos.

Padres excesivamente ocupados

Nuestra sociedad es una sociedad de padres ocupados hasta el estrés (¿no es éste un mal de nuestro tiempo?). Todo lo justificamos: *«Hay que trabajar, hay que ganar, hay que tener, no hay tiempo para..., me tengo que ir..., mañana lo veremos...»*. Pero, ¿y si eso no les vale para nada a nuestros hijos? Tanta lucha: ¿para qué? ¿No decimos que lo hacemos todo por ellos? Hay quienes opinan que la naturaleza guía hasta el final a las personas. No lo digo por usted, que seguramente esté motivado para ser el mejor padre y por eso lee este libro. La lucha por mantener a la familia debe ser algo que logre encontrar el equilibrio entre nuestras obligaciones personales y las familiares, más allá debemos revisarnos. Lo digo por la justificación que siempre podemos encontrar en todo lo que es extrafamiliar. Quizá nos valga la vieja historia de un emigrante para reflexionar en qué punto estamos.

Las necesidades de una familia

«A un país llegó un emigrante, necesitaba trabajar, en su nación había escasez de empleo y era muy duro no poder alimentar a su familia, estar privado de dar una educación a sus hijos.

Había sido casi inhumano partir, dejar todo, desarraigarse. Sus hijos eran cuatro, los recordaba a cada uno de ellos como si estuvieran ahora delante de su nariz.

En esos momentos trabajaba en el turno de la mañana, picaba la tierra en un foso de varios metros de profundidad; no importaba la dureza de las cosas si podía enviar dinero a su familia que les permitiera vivir, aunque le desolaba la lejanía de no poder abrazarlos a diario, aconsejarlos en sus necesidades, apoyarlos en sus esfuerzos. La noche que partió de la estación de Atocha, mientras el tren salía por las afueras de la ciudad, lloró desconsoladamente: era en su país un emigrante. Él no sabía cómo aquella noche su hijo mediano se revolvió en la cama con rabia contenida, y en su pequeño cerebro de niño lamentó no tener cerca a su padre.

Un país que no da seguridad, alimento y bienestar a sus ciudadanos, en el que se establece el impe-

rio de la injusticia y la desigualdad, llega a matar a sus hijos con el dolor y la pena de la emigración y el olvido. Esto sucedió en España.

Aquel muchacho lloró esa noche lamentando su propia suerte, porque solamente llegaba a comprender el amor, el afecto, tener cerca al ser más querido: su padre.

Se había distraído con sus pensamientos de la labor de su trabajo; miró hacia arriba cuando en lo alto del foso apareció un alemán con cara de pocos amigos; de modo despreciativo le apremió a subir el ritmo de su trabajo, y resopló diciendo: ¡Gastarbeiter!

Con el tiempo también aquel muchacho creció y se educó para oír decir a un politiquillo de su país que los emigrantes iban a otras naciones a por la mantequilla mientras en el suyo tenían el pan; otros llamaron a todo aquello, en términos económicos, el milagro español; él que era hijo de emigrantes sabía en su interior a costa de qué a veces se mantiene el bienestar de un país.»

La verdad es que hoy la mayoría tenemos cubiertas nuestras necesidades (¿tenemos pan y mantequilla para todos?). Quizá debamos pararnos a pensar como padres, no tanto en términos de necesidad básica, reflexionar si merece la pena ausentarse de nuestros hijos emocionalmente, afectivamente, separarnos de ellos en sus aspectos vitales de desarrollo, de cercanía, por incrementar el patrimonio, por un proyecto

---

Estamos abandonando a nuestros hijos en beneficio de nuestro propio éxito, y decimos: ¡lo hacemos por ellos!

---

de bienestar sin fin, por un eterno triunfo profesional. A veces, no hay más remedio (como en el caso expuesto); de otra manera: ¿merecerá la pena el «*abandono*» y la «*soledad*» de nuestros hijos?

Ser padre y educador

Ser padres hoy está muy ligado al concepto de educación, y esto no sólo es una faceta más dentro de sus funciones. La manera de entender qué es la educación ha cambiado de modo radical de un tiempo a esta parte en nuestra sociedad. El concepto de educación lo engloba todo, y está muy lejos de ser un término reducible a lo escolar e, incluso, todo lo contrario: donde más se educa es en la familia; la familia lo es todo para el individuo, al menos desde que nace hasta cierta edad; la familia es la raíz, el cimiento de la persona.

La familia es la única que puede cambiar nuestra sociedad y nuestra cultura, mejorándolas.

«Dime tú quién es tu familia y te diré cómo te ha condicionado, o mejor te diré: ¿quién eres? Dime quiénes son tus padres y te diré cómo es tu familia.»

Todo apunta a que los padres juegan un papel esencial en el desarrollo de los hijos, son determinantes en el momento de ejercer sus funciones y condicionan su futuro en el territorio de la personalidad: autoestima, motivación, eficacia, sociabilidad...

Por eso, la función de los padres probablemente sea una de las llaves del futuro de la sociedad y la cultura. Lo que la familia es también lo es la sociedad. No podemos esperar un milagro en nuestro mundo a manera de intervención ajena. Es la sociedad la responsable de su propio cambio y, por tanto lo es también la familia. Cada padre debe ser parte del motor del cambio que todos deseamos. Quizá, en principio, sólo de un cambio de actitud.

> Los padres deben aportar a los niños todo aquello que necesiten en cada momento, no sólo en el ámbito asistencial, también en lo educativo.

Es positivo que el padre haga una revisión de su función educativa. Si un padre aprende cómo comunicarse con sus hijos a cualquier nivel de edad, indudablemente podrá ayudarle potenciándolo como persona, con garantía y eficacia, desde que éste nace.

Todos sabemos que los hijos en la más tierna edad (desde que nacen) necesitan para sus máximos logros unos padres comprometidos, afectivos y amorosos. Pero ésta es una condición necesaria y no suficiente para calificar la labor educativa con el adjetivo de admirable a lo largo del tiempo que están bajo nuestra tutela. Esa condición básica debe ser enriquecida con otras actitudes y trabajos. Entre otras está el conocimiento y la información, por supuesto equilibrada y objetiva, que puede ayudar a potenciar el proceso evolutivo natural que siguen nuestros hijos. Aunque mantenemos, a pie firme, que la pedagogía del amor y el afecto es la más importante, la que más influye y determina, debemos ser cautos y equilibrados con ella.

A veces cometemos el error de proteger en exceso creyendo que cumplimos con un deber de amor sagrado y hacemos de nuestros hijos seres inseguros, seres sin autonomía.

Los mellizos

«Eran dos mellizos a quienes su madre siempre tuvo entre sus faldas; ella determinaba cuándo, cómo y con quién debían ir. A lo largo de la vida tal protagonismo materno llevó a los hermanos a ser retraídos, dependientes, poco exitosos en el trato social. Cuando la madre quiso corregir su amor excesivo, desde el punto de vista educativo, ya era tarde: sus hijos eran jóvenes sin autonomía y muy dependientes, con baja socialización y una personalidad con un perfil un tanto extraño.»

El cambio de los humanos hacia una vida mejor en todos los sentidos será posible según sea su educación. La pedagogía del amor y el afecto son los componentes más importantes en la educación familiar.

TOME NOTA DE LAS IDEAS MÁS SIGNIFICATIVAS DE LAS QUE LE HEMOS PROPUESTO EN ESTE CAPÍTULO

CAPÍTULO II

SER PADRE EN LA TIERNA EDAD

Educar a los más pequeños

«Educar en la tierna edad supone desarrollar toda la capacidad emotiva y afectiva del niño, potenciando también las facultades cerebrales.»

Sin embargo, ningún padre debe quedarse en ese umbral puramente afectivo; lamentablemente, muchos consideran esa condición como la única posible. Trabajar con nuestros hijos para que sus potenciales mejoren también viene a ser deseable, pues la ciencia demuestra que por inducción de contextos propicios (o sea, de que le estimulemos) los niños de la tierna edad (cero a tres años) logran una mayor madurez y desarrollo social, psíquico y somático cuando son estimulados y dirigidos por los adultos.

> Desde que el niño nace es posible ejercer sobre él un influjo positivo de estimulación educativa que beneficie su desarrollo y maduración, lo que constituye una obligación de los padres.

El caso del niño de las escaleras

«En una reunión con padres de la tierna edad se suscitó el tema de cómo los niños pueden bajar las escaleras de la forma más positiva y eficaz posible. Uno de los padres, muy observador y penetrante de los comportamientos de su hijo, asesoró al resto del grupo haciendo unas observaciones sobre una conducta de psicomotricidad gruesa, muy importante para el desarrollo y la maduración de los niños que están entre catorce y veinticuatro meses.

Explicó que, si hacemos que el infante baje una escalera de frente (incluso con ayuda), el desequilibrio y la fuerza de la gravedad podrían hacer que el niño se cayese hacia delante, o que bajase de modo angustioso y físicamente desequilibrado, y por supuesto potenciándole el miedo, al mismo tiempo podríamos retraerle y privarle de esta experiencia tan rica para su desarrollo motor.

Cosas que para los adultos son insignificantes, para los niños de tierna edad resultan esenciales.

Aquel padre dijo que lo mejor era que bajase de modo natural mirando hacia la pared, y agarrándose a la barandilla de las escaleras (que debe estar a la altura de sus ojos), de tal modo que fuese bajando con un control coordinativo de las manos y los pies.

Concluyó que ésta era la forma mejor en la que el niño vencía la dificultad que le presentaba una escalera como obstáculo a su recién adquirida habilidad exploradora y correteadora del espacio.

Me quedé muy admirado de las dotes observadoras de este padre, ya que constituye parte del saber de los especialistas en esta materia. Tales consideraciones eran muy oportunas, pues ese control corporal no sólo permite al niño ejercitarse en aspectos motores de movimiento y coordinación, sino que le ayudan a adquirir seguridad y autonomía personal. Me di cuenta de que este padre tan sensible y curioso facilitaba las cosas a su hijo, lo desarrollaba, lo potenciaba, estaba en su onda...»

A otros padres menos atentos les hubiera dado igual, o no habrían, sencillamente, tomado en cuenta este hecho, ¿y qué hubiera pasado? Aunque no lo creamos, muchas cosas: en primer lugar, el niño, al verse enfrentado a un espacio abierto en altura hasta el suelo, siente miedo e inseguridad al no dominar su equilibrio, a lo que puede responder inhibiendo su deseo de ejercitarse desde el punto de vista motor, potenciando en consecuencia la inseguridad y la falta de autonomía. Este padre solucionó esa dificultad e hizo que su hijo dominase una situación problemática, y el niño vivió como una conquista poder subir y bajar de modo autónomo la escalera de la casa jugando a favor del éxito en las pequeñas circunstancias de la vida, lo cual desarrolla la autoestima y la seguridad personal.

Ser padres eficaces es una cuestión de sutilezas y matices, que además de requerir la sabiduría natural precisa de información y formación personal.

Lo preocupante en la educación de los hijos es cuando un padre nunca se da cuenta de estas pequeña vicisitudes, o le da igual ocho que ochenta. En nuestro caso, el niño se caería, tendría pocas oportunidades de que fuera expuesto a situaciones donde se le estimulase. Generaríamos un niño poco estimulado. Un padre puede ser muy atento y evitar, como solución, que el niño esté en la escalera. ¿Por qué tiene que estar en la escalera?, podría decir algún padre. Porque la escalera es un soporte material extraordinario para la ejercitación psicosomática, psicomotora, motora o de psicomotricidad gruesa (es como si a un jugador de fútbol le quitásemos el tiempo y el lugar donde se entrena: probablemente dejaría de ser jugado.

> Evitar que el niño pequeño haga cosas que suponemos peligrosas no es la mejor solución educativa.
> Lo que para nosotros es sencillo y natural, para los niños en la edad de la ternura puede constituir un muro insalvable.

También es preocupante cuando el padre no estimula a su hijo porque ignora lo que es, o cuando es indiferente.

La vida, la experiencia humana, están compuestas en su totalidad de estas cosas, pequeñas e insignificantes: ¡claro!, pequeñas para nosotros y realmente esenciales para nuestro hijo y su desarrollo.

Parámetros para educar en la edad de la ternura

Un padre en la edad de la ternura de su hijo debe saber cuáles son los parámetros en los que se mueve; normalmente esos parámetros son sencillos de cara al adulto, pero muy complejos para el niño. Insignificantes para el padre, pero de alto valor para el hijo. Subir y bajar la escalera para el padre a lo sumo es un deporte, para el hijo de la tierna edad supone aprender a dominar su cuerpo, aprender a vencer una dificultad; es una experiencia de dominio corporal y valorización psicológica y personal.

La madre amorosa

> *«En cierta ocasión tuve a una madre amorosa como jamás vieran mis ojos nunca; había mantenido a su hija muy cuidada en una cuna, con mucho silencio y poca actividad durante mucho tiempo, de tal modo que la niña a cierta edad presentaba una patosidad fuera de lo común, la madre creía estar haciendo lo mejor para su hija.»*

Lo que hagamos los padres con los niños pequeños es muy importante, y todo indica que debemos estimularlos, que la escuela con sus ejercicios está en todas partes: en la escalera de la casa, en la cuchara que agarra para comer de cualquier manera, en el paseo por el parque, en el pasillo de la casa, en el juguete sonoro que agarra y tira, en el coche rojo de la esquina...

> Los padres de hijos en la edad de la ternura deben estimularlos; cuanto más conozcan cómo es la naturaleza humana a estas edades, por más facilidades tendrán para ayudarles con eficacia y desarrollar sus potenciales.

Lo importante es, quizá, ayudarles a ordenar ese mundo de vivencias y estímulos guiándoles en sus pequeñas experiencias infantiles y propocionándoles estímulos para suscitar sus capacidades, para desarrollar su potencial.

> *«Mediante programas educativos es posible ayudar a mejorar el desarrollo madurativo de los niños en la tierna edad.»*

Unos padres eficaces deben desterrar los viejos perjuicios que nos aquejan. Una propuesta auténticamente educativa nunca va en la dirección de violentar el propio cauce natural de la infancia. Cualquier cosa que alterase ese proceso resultaría penoso y desdeñable, y debe ser rechazado de modo categórico. Pero no reconocer que los padres pueden ayudar en la mejora de las posibilidades personales de los niños de tierna edad resulta igualmente abrumador.

Son los padres los que pueden ayudar a sus hijos a potenciar sus capacidades naturales.

> *«Los niños que son apoyados en la edad de la ternura son más sosegados, aprenden mejor, adquieren más capacidades y son más controlados en lo afectivo y emotivo.»*

Tampoco hay que generar una excesiva expectativa en cuanto a lo que podemos hacer, ni ser profetas de una supuesta revolución de la humanidad a través de hacer niños genios. Aunque si solamente existiese la posibilidad de un uno por ciento en la mejora global de la calidad de la infancia en la más tierna edad, merecería la pena el trabajo de unos padres entregados a su hijo también con las exigencias de la eficacia y la revisión.

«Los padres deben aportar en cada momento aquello que el niño necesita. El niño debe aprender de modo natural, sin esfuerzo, aprovechando el potencial que la naturaleza le depara.»

Por los niños de la tierna edad se pueden hacer muchas cosas. Y algunas sorprendentes. Hay que saber sobre ellas para potenciarlas con eficacia.

«Toda intervención educativa en la edad de la ternura, y a cualquier edad, debe enfocarse sobre la base de la afectividad y el amor.»

No pretenda usted crear un genio, pero asegúrese de poner a disposición de su hijo todo aquellos contextos que permitan su máximo desarrollo integral. Sepa usted que las posibilidades humanas de los adultos han sido poco potenciadas en esas cronologías. Se ha creído que a unas edades es posible influir de modo sistemático y en otras no. Quizá por falta de contextos oportunos y de nuestro desconocimiento humano la pedagogía fue dirigida hacia unas determinadas edades y no hacia otras.

«¡No pretenda usted crear un genio!, pero tampoco enlate como conserva las potencialidades de su hijo.»

El ser humano es un ser con potenciales desconocidos. Hasta el momento, la mayoría de los padres con los niños de la tierna edad se han limitado a un papel bienhechor que ronda lo asistencial en la educación de la potencialidad humana en esa edad. *«Todavía es pequeño», decimos con demasiada frecuencia. Pero ¿con respecto a quién es pequeño? ¿Es pequeño con respecto a los niños de su edad?* Ésa es la cuestión.

La tierna edad representa en sí misma un universo de posibilidades, complejísimas, propias, que, en una paternidad responsable e informada, puede potenciarse. Potenciar la tierna edad no significa acelerar la llegada de las capacidades propias de otras edades, sino la de armonizar y desarrollar las capacidades inherentes a ella.

Los niños pequeños han ido considerados como adultos en potencia, que en su estado de niñez resultaban ser seres incompletos, y esto ha sido un gravísimo error de la antigua pedagogía.
Ningún padre con hijos en la edad de la ternura debe pensar que su hijo es pequeño para hacer aquello que hacen otros de su misma edad.

«La tierna edad representa un universo de potencialidades; no vea en su hijo un inútil al que ama sin límites.»

No vea en un niño tierno un «*inútil*» al que amamos sin límites. O un proyecto de futuro. ¿Qué sabe y qué puede alcanzar ahora? Observe desde su misma altura la grandiosidad de sus potenciales, y hasta dónde los puede desarrollar.

Si yo viese a un niño realizando cálculos matemáticos muy complejos no consideraría esto sino una vulgaridad, aunque se le llame genialidad, que, por ejemplo, estuviese ejerciendo de hecho como arquitecto. No admiraría su función adulta siendo un niño. Eso sí, me interesaría por el potencial de su cerebro: *¿Cómo pudo llegar a adquirir todas esa habilidades y hacer todas esas cosas?*, me preguntaría.

Más real resulta que un niño aprenda a leer a una edad tierna. A mí no me interesaría aquello que lee, el contenido y cómo lo interpreta en el sentido del uso de la información. Me llamaría la atención cómo el cerebro humano es capaz de desarrollar ese potencial y cómo a partir de esa ejercitación se produce mayor inteligencia, mayor capacidad general para estar en el mundo.

> No vea en un niño de la edad de la ternura solamente a alguien a quien amar sin límites. El pequeño cerebro de nuestro hijo en la edad de la ternura tiene un potencial inimaginablemente amplio, pero necesita que se le estimule para desarrollarlo. Si podemos potenciar más y mejor la naturaleza humana, ¿por qué no intentarlo?...

El caudal del niño pequeño

«No vea en su hijo a un pequeño adulto capaz de cosas adultas. Los niños tienen en sí mismos un gran caudal.»

No se trata de las cosas en sí mismas. Sino que es posible que éstas, los aprendizajes, se adelanten porque un niño estimulado desarrolla más capacidad. Es, por tanto, natural que un niño de la tierna edad, en un contexto afectivo y amoroso adecuados, donde, además, potencien sus aptitudes y capacidades propias, pueda llevarle a un adelanto de los aprendizajes. No hay por qué rasgarse las vestiduras, ni extrañarse. Es sencillamente un proceso natural.

Potenciar el desarrollo de nuestro hijo con naturalidad es disfrutar de su felicidad y de lo bien que hace las cosas.

De hecho, el adelanto continuo de los aprendizajes es un proceso natural de las generaciones. Cada vez es más temprana la adquisición de habilidades.

«Si un niño puede, ¿qué derecho tiene ningún adulto a decir: ¡no puedes! Y quedarse tan ancho y pancho.»

De cualquier modo, no se trata de adelantar nada ni incluso para mayor capacidad de nuestro hijo. Hay que generar un ámbito de desarrollo alrededor del niño connatural a su propia edad. Se trata del disfrute que le damos ante su propio desarrollo. Debemos darles la oportunidad de que aprovechen más sus potenciales naturales.

«Si un niño puede y le animamos a que lo intente, potenciamos su autoestima, la seguridad del éxito interno y personal. La posibilidad de la motivación y el ánimo. Lo que está en juego es que el niño puede más de lo que en la vida diaria se considera. Y esto lo está expresando multitud de corrientes científicas.

Todo programa de estimulación educativa debe estar basado en el conocimiento del niño y de sus límites y posibilidades. O la motivación se torna frustración, la capacidad en incapacidad, y el éxito en fracaso.»

Cuando usted mire a su hijo nunca crea que es demasiado pequeño para aquellas cosas que puede hacer o sentir. Potencie una mejor organización neurológica de la infancia a través del estímulo; por tanto, desee que su hijo sea más inteligente estimulando sus propias aptitudes naturales. Sea más feliz sugiriéndole modos más adecuados de comunicación afectiva y emotiva. No mire a su hijo con ojos de futuro: lo que llegará a ser. Mírele ahora como si el futuro fuese ya presente. Ella o él son personas terminadas en cada momento de su vida. El presente mejorará simplemente el futuro, si éste le es propicio.

Una pedagogía desde el niño

Principios

«Cuando actuamos con nuestro hijo para estimularlo hay que saber lo que se hace.

Hay muchos conocimientos del niño que no están poniéndose en juego debido a la falta de información de los padres.

Muchas veces el niño patoso se hace y no nace.

Todo está en el cerebro.

El mejor aprendizaje es aquel que surge desde la propia motivación interna del propio niño: ¡jamás obligar!»

La pedagogía que proponemos es una pedagogía desde el niño. Nunca debemos presionarle. No debemos adelantarnos a su desarrollo y maduración, ni tratar de que acomode y asimile aquello que no quiere o no puede. Parta desde el respeto y el amor más profundo a la infancia, desde la propia motivación y curiosidad hacia sí mismo, las cosas y las personas. Partimos desde el potencial que nuestra naturaleza nos depara como hombres.

> Nuestra sociedad es una cultura con muchas carencias y defectos; no reconocer esto no nos permitirá ayudar a nuestros hijos.

Rechazamos las limitaciones educativas que a veces los hombres (padres y educadores) imponen a otros hombres (niños) por falsas creencias y desconocimiento: no a la presión, no a la falsa pedagogía. Pero sí estamos a favor de la potenciación de nuestros hijos a través del juego lúdico y de las propuestas de actividades y ejercicios con el fin de ayudarles a que desarrollen más y mejor lo que ya llevan dentro. No hacer esto es tan malo como aplicar métodos y sistemas inadecuados y antipedagógicos.

> *«No imponga límites para el desarrollo del niño; tampoco obre ilimitadamente como si cualquier cosa fuera posible. Mantenga su pedagogía en el límite del conocimiento del niño, y del disfrute que genera.»*

MI HIJA NO HABLA

Me dijo Isabel, muy preocupada, que su hija de casi tres años hablaba poco y mal. Mientras me decía esto la niña tiraba de la falda de la madre para que le atendiese. La niña comenzó a decir algo con cierta dificultad en la pronunciación; la madre la había entendido antes de que su hija terminase, completándole las palabras y las frases. Le dije: «¿pero cómo quiere, mujer, que hable su hija? ¿No ve que le termina las cosas? Así ella no practicará. ¿No ve que ayudándola así la retrasa en sus posibilidad de hablar bien? Ella no se ejercita lo suficiente, y como es más cómodo que usted se lo exprese, no realizará esfuerzos por hablar bien, por eso la niña se retrasa.» «¿De verdad?», me dijo. Y al irse del sitio donde hablábamos volvió a terminarle las palabras y las frases.

PARA LA EDAD DE LA TERNURA

1. Los padres deben aportar en cada momento aquello que el niño necesita.

2. El niño debe aprender de modo natural, sin esfuerzo, aprovechando el potencial que la naturaleza le depara.

3. Toda intervención educativa en la edad de la ternura debe enfocarse basada en la afectividad y el amor.

4. Se deben potenciar las facultades cerebrales que el niño posee atendiendo a su ritmo natural.

5. Los niños que son estimulados se desarrollan y maduran mejor.

6. No quiera hacer de su hijo un genio sino una persona equilibrada y feliz.

7. Un niño puede actuar con respecto a lo que hacen otros niños de su misma edad.

8. No sólo ame sino que debe actuar.

9. Cuando estimulamos a nuestros hijos pequeños hay que saber lo que se hace.

10. Recuerde que el cerebro tiene funciones y procesos extraordinarios cuando se estimula. Esta estimulación debe ser educativa, graduada, controlada por el conocimiento y la reflexión donde el niño es el protagonista.

11. No imponga a su hijo los límites que usted pueda tener como padre.

12. El mejor aprendizaje es aquel que surge de la motivación interna del propio niño.

13. El aprendizaje natural del niño produce sobre sí un efecto determinante en su autoestima, lo hace más autónomo e independiente: andar, comer, vestirse, manipular..., le hace libre.

CAPÍTULO III

CLAVES PARA SER UN PADRE EFICAZ

Ser padre eficaz

¿Ser padre es una función que se aprende? ¿Viene dada por la propia naturaleza humana? ¿Se corresponde con el sentido común? ¿Acaso su naturaleza sea la de un oscuro instinto? ¿Qué idea tiene de su propia función como padre? ¿Lo tiene claro o quizá duda? ¿Está lleno de aprensiones, de temores, de culpa, de sobresaltos e inseguridades? ¿Qué torbellino de ideas le viene a la mente? ¿Lo ve fácil? ¿Lo ve difícil? ¿Lo ve simple? ¿Lo ve complejo?...

Quizá existan tantas interrogantes como padres hay en el mundo. Posiblemente hay multitud de maneras de ser un padre eficaz. Probablemente usted desarrolle aspectos de eficacia e ineficacia al mismo tiempo en el ejercicio de ser padre.

Ser padre es una función que se aprende. La educación de nuestro hijo tiene que ver con el ambiente de familia.

El concepto de familia, el concepto de ser padre o madre, hermano o hermana, cambia continuamente. Y cambia según la cultura, según la sociedad en que vivimos. El modelo de familia, de padre, de madre, de hermano o hermana, es la referencia básica sobre la que se apoya toda influencia en el ámbito familiar. La familia es la primera puerta social al mundo. La familia y su forma de vida son la base de la educación. Por tanto, hacer un breve recorrido sobre los principios de familia más generales en el momento actual, y tratar de descubrir claves generales de educación en familia, es el primer paso para abrirnos al universo de ser padre eficaz.

> Aprendemos a ser padres eficaces.
> La familia es la primera puerta social que cruza el individuo hacia el mundo.

Para el doctor Castell,la familia está en crisis, en perpetuo cambio debido a que expresa el modo de ser cultural y social de los hombres y mujeres de una época:

> *«El triángulo familiar, padre madre e hijo, la familia nuclear clásica, está sometida a un profundo debate. Incluso hay quien dice que está en crisis irreversible.»*

El amor, las normas y los límites

¿Cómo hacemos las cosas en relación con nuestro hijo?

Pautas y consejos

1. Lo normal es tener dudas e inquietudes.

2. Podemos hacer las cosas mal sin mala intención.

3. Los hijos nunca son pequeños en relación con las capacidades que corresponden a sus edades.

4. Desechad la idea de que cualquier cosa o acción traumatiza. Este complejo amordaza la capacidad de educación de los padres.

5. Si se tiene sentimiento de culpabilidad es probable que hiperproteja a su hijo, le infunda criterios mal entendidos.

6. Tener normas y reglas es bueno desde el punto de vista educativo. Es saludable. El hijo las reclama.

7. No se genera en el otro un estado de infelicidad traumática por cualquier cosa vanal. Se precisa de un ambiente de desequilibrio continuo.

8. La libertad y la educación de nuestros hijos se basan también en las normas y los límites y, por supuesto, en el amor.

9. El tiempo que estemos con nuestros hijos debe ser de calidad. La calidad se entiende no como una manera de permisividad total, ni como inflexibilidad en el trato. Esta calidad debe estar basada en el equilibrio.

10. La dejación total de las funciones como padre es un «*delito*» moral que afecta la personalidad de los hijos en su desarrollo.

11. La dejación de las funciones hace del ser humano un ser distante, frío, capaz de cualquier cosa sin sentimientos.

12. El exceso de hiperprotección hace de los hijos seres dependientes, inmaduros, incapaces de desenvolverse en el mundo social. Éste es un mal de nuestro tiempo.

13. Educar a nuestros hijos con calidad puede ser origen de muchas incomodidades.

¿Sabemos hoy en día ser padres, madres, hermanos o hermanas, de un modo positivo en relación con los miembros de la familia que nos rodean? Ante nuestros hijos nos acechan las dudas y las inquietudes. A veces creyendo hacer las cosa bien las hacemos mal y no cubrimos realmente sus necesidades. Normalmente, los adultos solemos ser resueltos en nuestras profesiones, pero eso no significa eficacia a la hora de educar a nuestros hijos.

La hiperprotección hacia los hijos es un mal de nuestra sociedad, quizá sea el reflejo de la cultura de la desconfianza.

¿Sabe usted qué hacer con su hijo?

Ellos captan todo, y no podemos quitarnos de encima toda nuestra responsabilidad. Los padres pueden sucumbir a los reclamos de su hijo en aspectos que parecen poco importantes, pero nuestros hijos aprenden conductas o patrones de comportamiento que, de alguna manera, los hacen ser algo tiranos, o engreídos, o caprichosos, o rebeldes, o...

Realmente esto se da porque el adulto deja de ser guía de su hijo para ser guiado; ser guiado por su hijo, que no concibe el mundo sino como un gran universo de deseos que quiere alcanzar (como manda nuestra condición natural), es un error. Cuando esto sucede es imposible educar, es imposible motivar el desarrollo. Las causas que producen estas actitudes de los padres pueden ser múltiples y muy variadas.

Un padre eficaz es aquel que ni consiente todo a sus hijos ni es inflexible hasta el límite.

Por ejemplo, cuando frecuentemente llegamos cansados de nuestros trabajos, y a veces con ciertos remordimientos por el poco tiempo que pasamos con nuestros hijos, podemos con nuestro humor pasar de ellos, ser permisivos. O, todo lo contrario, podemos estar pendientes hasta el límite de lo imaginable.

En el primer supuesto, el padre puede distanciarse de su hijo y proyectar incluso el mal humor en forma agresiva.

En el otro caso nos volvemos consentidores y podemos caer en nuestra propia trampa al no establecer un contexto de límites y disciplina transparentes para nuestro hijo. Así, todo lo permitimos *(«Pobrecita, está durante toda la semana sola, no la privaré de..., p.e.»).*

Ninguna de estas dos situaciones favorecen el desarrollo armónico de nuestros hijos cuando se realizan de modo permanente, como una manera de educar. Hay que equilibrar todas las cosas: consentir todo es un error, y ser inflexibles hasta el límite constituye una trampa mortal para la eficacia de la educación en la familia.

No hay que dejarse amedrentar, no hay que sucumbir, pero tampoco se debe machacar, triturar, destruir al otro como si fuera una propiedad con la que hacemos lo que nos da la gana. Nuestros hijos no nos pertenecen, están bajo nuestra tutela, simplemente, y ésa es nuestra gran responsabilidad.

Cuando las normas son necesarias

Estamos ante la cultura de la hiperprotección de los hijos, también del culto al hijo. A veces, tememos traumatizarlo por cualquier causa. Deseamos repararlo por nuestros complejos de culpabilidad y tratamos de darle satisfacciones, muchas veces de modo inadecuado o ineficaz. Es frecuente ver que faltan referencias educativas, criterios objetivos para encauzar las relaciones de nuestra familia; éste es el sentido regulador de las normas y las reglas que deben existir. No estamos hablando del imperio de la ley social sino de reglas y normas de convivencia, a veces de moral, a veces de educación de la persona.

Nuestros hijos no nos pertenecen, sólo están bajo nuestra tutela.

El caso de un niño sin normas

«Conocí a unos padres cuya conclusión final era la de que su hijo pequeño debía ser totalmente libre

en su comportamiento, así que aquel hijo hacia cualquier tipo de cosas. Recuerdo que en cierta ocasión en mi despacho, el niño se mostró totalmente libre: se acercó a la mesa y revolvió los papeles que tenía encima, tiró al suelo un bolígrafo de un manotazo, lo hizo algo distraído, pero totalmente intencionado mientras al mirarme sonreía. Procuró en todo momento circular por la habitación produciendo fuertes ruidos: el efecto era que los padres y yo apenas si nos pudimos entender; yo, de cuando en cuando, lograba controlar algún objeto que irremediablemente iba al suelo, despistándome continuamente del objeto de nuestra entrevista. Me dijeron los padres que estaban muy disgustados con cierto test que había pasado el niño, donde se les prevenía de las consecuencias de la impulsividad de su hijo, ya que estaba afectando a los aprendizajes propios de su edad. Es decir, como su profesora no podía controlarlo en el aula para que hiciera ejercicios de lectura y escritura, el chico se retrasaba, y esto preocupaba al colegio donde iba. Mientras hablaba de este asunto, como podía, el hijo de esta familia continuaba con su actividad frenética en mi despacho. Los padres me recomendaron dejar en paz a su hijo; me expresaron su intención de que procurara no aconsejarles, ellos fueron rotundos al decirme que sabían muy bien lo que se hacían. Mientras tanto, el muchachuelo, de unos seis años, dio un golpe a la mesa y otro a la espalda de la madre, diciendo: "¡vámonos ya!", y los padres se fueron. Durante unos minutos tuve que poner orden en mi lugar de trabajo; yo era un sencillo psicólogo de colegio, del colegio adonde iba aquel muchacho, y eso sí:

¡el padre me amenazó con no pagarme el informe que había realizado sobre su hijo!»

Los límites de nuestros hijos

Las normas y las reglas deben aparecer de modo natural desde el principio en el medio familiar, eso organiza tanto a los padres como a los hijos, armoniza la convivencia, el crecimiento, potencia la educación en la familia y también fuera de ella.

> Debemos saber poner límites a nuestros hijos; nuestro mundo es un mundo de límites, porque a veces «donde termina su libertad, comienza la del otro», y esto se aprende.

Todo aquello que es lógico pedir a nuestros hijos según las normas de convivencia comunes, los principios de una moral equilibrada, etc., debemos lograr que nos lo den, aunque en determinados contextos tengamos que renunciar a nosotros mismos.

Ser padres eficaces exige muchas veces de la renuncia personal. Por eso, la paternidad (maternidad) es muy difícil y a la vez meritoria, es una función que implica sutileza.

Los límites, a veces, son necesarios, pero podríamos suavizar la terminología considerándolo mejor como el concepto de organización y armonía en la convivencia de la familia. Llamamos poner límites a la actividad propia de organizar e interactuar que tienen los miembros de la familia.

Estos límites no tienen por qué producir un estado dictatorial dentro del territorio de la familia, sino que, los consideremos como la conjunción de tener en cuenta los intereses de los padres frente a los de los hijos, y los de los hijos frente a los de los padres.

Creemos que el principio regulador de los comportamientos de los hijos en la familia debe partir de sus padres, porque ellos son los guías, los que tienen la experiencia propia de las personas adultas, los que tiene contenidos para guiar a sus hijos y, a la vez, son los máximos responsables en la educación.

Cuándo traumatizamos y cuándo educamos

La felicidad de su hijo no es un asunto de causas inmediatas y aleatorias. La felicidad o infelicidad es producto de un proceso continuo en el tiempo, de un modo de actuar en familia y de una manera actitudinal de ser.

El caso de los enchufes

«Aquel padre estaba asustado, jamás en su vida había levantado la voz a su hijo, y en aquella ocasión se dejó llevar por un irrefrenable impulso agresivo: le gritó para que dejara de meter el dedo en el enchufe, su hijo tenía obsesión por meter el dedo en cualquier enchufe que pillase a mano. Ahora, le pesaba haberle chillado, y en su conciencia apareció en él un gran remordimiento, con la idea de que podía traumatizarlo: ¿afectaría aquello a la personalidad profunda de su hijo? ¿debería dejarle con su obsesión y tratar de

arrancar todos los enchufes de la casa que estuvieran a su altura? ¿qué hacer para no traumatizar a su hijo?»

Los traumas se generan por el mal trato continuo que podamos ejercer sobre nuestro hijo, por la mala intención, por una irresponsabilidad continuada, por la inmoralidad y falta de ética en los comportamientos, y principalmente por la ausencia de amor hacia él. Aquí ser padre resulta intrascendente y problemático para los individuos fuertemente egoístas.

El trauma no es consecuencia de un gesto o de una acción sino del estilo de vida negativo, y de la influencia negativa continua que el ambiente ejerce sobre la persona.

El trauma en los hijos no se puede producir por circunstancias aleatorias, por cosas más o menos desafortunadas que se produzcan en nuestra familia. Es de humanos: errar, fallar, confundirse, enfadarse... Siempre y cuando todo eso no constituya un estilo de vida propio.

El amor hacia el hijo determina la improbabilidad de traumatizarlo, aunque hay que analizar si mi amor de padre no es un amor egoísta y desafortunado (que en realidad no es amor sino formas muy diversas de egoísmo).

El caso del padre viajero

«El director del colegio estaba muy preocupado por un alumno de unos doce años cuyo comportamiento en el aula era realmente inadaptado; los pro-

fesores lo definían como de «salvaje». Se había hablado con el padre multitud de veces. Éste le había castigado de mil formas diferentes. Tenía en casa unas normas estrictas de comportamiento, y tutores que cuidaban de él, que eran profesores particulares para las diversas áreas de conocimiento. Aquel muchacho apenas si veía a su padre, un viajero de negocios infatigable, un hombre de un éxito económico sin igual. En el fondo, aquel hombre no tenía tiempo para la familia, y su forma de controlarla era usando la disciplina férrea no sólo con su hijo sino también con su esposa. En el fondo, le importaba tres pitos su hijo. ¡eso sí!, la bolsa, el dinero invertido, las reuniones de empresa, el viaje a tal o cual ciudad eran el fundamento de la vida de aquel padre ausente. Para eso tenía a su ya calificada e «inútil» mujer, dedicada en exclusiva a su hijo, a quien de cuando en cuando chillaba, la infravaloraba y culpaba de ser la causa de tener un muchacho tan rebelde e indisciplinado.»

No podemos pensar que porque demos cosas materiales a nuestra familia podamos obtener y dar amor. El amor es una estructura básica, profunda, no comercializable como elemento de: *«Te doy y me das»*, o algo así. No se puede trabajar el afecto de nuestros hijos como un chantaje por mi sentimiento de culpa, dándole caprichos y cosas, mimos excesivos. Esto destruye la base de la educación.

El amor no está reñido con las normas y las exigencias que debemos ejercitar educativamente con nuestros hijos. Poner los adecuados límites a la conducta del hijo es la piedra angular de la educación en la familia. Los hijos aprenden que las cosas tienen un límite y, por tanto, comienza a aprender que la libertad se basa en determinadas normas.

Esos límites los enseñan los padres, los inculcan con relación a la vida cotidiana y sus exigencias. No podemos, en la educación de nuestros hijos, ya desde la tierna edad, eliminar por nuestra manera de vivir social y cultural esa tríada de la que venimos hablando: amor, normas y límites, cuya esencia es la base de toda libertad. Si nuestros hijos no perciben estas cosas difícilmente podrán ser futuros adultos libres, afectivos, sociables y respetuosos.

El amor, las normas y los límites son fundamentales para la educación en familia.

Para aquellos padres excesivamente dejados ni qué decir tiene cuál es nuestra opinión al respecto. Los abandonos infantiles muy acusados, sin que se sustituyan por otras figuras afectivas, hacen que los hijos vivan traumas que no superan en sus vidas. La educación que proponemos desde la edad de la ternura debe ser una educación moderada, teñida de posibilidades, de aciertos y de errores, siempre experimentales, y basados en el amor y el respeto mutuo que los hijos deben vivir hacia sus padres, y los padres hacia sus hijos.

Cuando no podamos estar mucho tiempo con nuestros hijos, el que pasemos con ellos lo teñiremos de calidad.

Calidad pues no es dar todo de modo burdo. Hay que dar todo sabiendo lo que se da y cómo se da, y en su base están las normas, los límites y el amor.

No al autoritarismo y no a la permisividad absoluta y total. Los padres deben atacar sus propias comodidades, educar no es fácil, no es cómodo e, incluso, puede ser incómodo, a veces muy incómodo.

Tampoco los padres pueden ser ignorantes, echarse la toalla sobre los ojos, el mundo está lleno de información. Los padres deben aprender a serlo, deben eliminar la ignorancia que sobre sus hijos puedan tener. También deben buscar ayuda cuando lo que se experimenta es incapacidad. Estas referencias de las capacidades que deben adquirir los padres como tales no son neutras hacia sus hijos.

> Todo lo que en la familia se sustente bajo el principio del auténtico amor es la base de la educación en familia.

Lo que proyectemos sobre nuestros hijos formará en ello las estructuras de su personalidad. La violencia, la rebeldía, la inseguridad, la independencia...También el equilibrio, la seguridad, la alta autoestima, la motivación, el éxito son productos derivados del modo en que nosotros como padres somos con nuestros hijos.

Un ejercicio de afectividad

Lo más significativo de la familia es el universo de la afectividad. Quizá podamos entrenarnos en ella con un ejercicio, y antes, probablemente, debamos comenzar con una reflexión. Haga el siguiente ejercicio simbólico. Piense en su hijo, no importa la edad que tenga, y escriba su responsabilidad como padre.

«Desde los primeros meses el niño capta las formas de pensamientos o conductas de los padres,

patrones de comportamiento que luego proyectará en la escuela.»

J. A. GRIS

Si su hijo está en la edad de la ternura cójalo en su regazo y mírele a los ojos. Observe la grandiosidad de la ternura de su mirada. Sienta que está ante un universo de posibilidades. Estréchelo contra sus brazos y acarícielo.

Comuníquese con su hijo.

Su hijo depende de usted. Pero no sólo en un plano físico, sino también en otro psicológico y social.

Mientras disfruta con su hijo piense en su función de padre.

Si su hijo es adolescente o está en cualquier otra edad de la niñez comuníquese con él mientras practica alguna de sus responsabilidades como padre, luego perpetúe esa costumbre.

«El niño desea que su madre sea exclusivamente para él, y la existencia de hermanos ocasiona ineluctablemente, sean cuales sean las circunstancias particulares, una rivalidad fundada en la experiencia de una frustración generadora de envidia.»

P. CAHN, citado por *Ajuariaguerra*

A veces tenemos que calibrar como padres nuestro propio estrés. A veces nuestras pocas ganas de continuar. Las molestias de la vida cotidiana, los enfados... Mire de nuevo a su hijo en la edad de la ternura, en la niñez o en

PIENSE EN SU HIJO Y ESCRIBA AQUÍ LAS IDEAS MÁS IMPORTANTES SOBRE SU RESPONSABILIDAD COMO PADRE

la adolescencia... Usted está logrando hacer llegar al mundo una gran persona...

> *«Las envidias fraternas son mucho más importantes cuando la madre está excesivamente pendiente que cuando es despreocupada.»*
>
> M. Sewal, citada por *Ajuariaguerra*

LAS ACTITUDES INTERNAS SE PROYECTAN EN EL MEDIO FAMILIAR

El amor se proyecta hacia su hijo en forma de actitudes, y estas actitudes deben ser equilibradas y correctas. Su hijo recibe toda proyección amorosa de modo absoluto. En este juego de relaciones debe persistir el equilibrio. Su hijo aprenderá desde que nace el sentido vital que usted imprime a su conducta y actitudes, y absorberá el equilibrio que debe existir entre los seres humanos en sus relaciones. Tenga siempre presente que si en el seno de la madre nace un ser biológico con potencial psíquico, en el seno de la familia nace un ser social. Su hijo aprende y se socializa en contacto directo con los miembros de su familia. La primera comunicación humana es no verbal, a veces silenciosa en la profundidad de la mirada, o sonora en la queja del llanto, o sensible y perceptiva en el tacto. Para Ajuariaguerra el hijo es «*fruto de un estatus deseado por los padres*» y llega a ser alguien que emplea los recursos de los adultos (lenguaje, ideas...). No crea que hablamos por hablar. Los niños en la edad de la ternura, si careciesen de afecto, llegarán a tocar la muerte física. Desgraciadamente, esto ha sucedido y a veces trágicamente sucede en el «*mundo del infierno*». Los niños de la tierna edad son profundamente sensibles a la percepción amorosa. Los abandonos y los malos tratos afectivos destruyen al ser humano más que el hambre y la miseria física. Con los celos entre hermanos, los hijos compiten por tener una situación de privilegio, lo utilizan para conseguir la realización del deseo, y en ello emplean todo tipo de estrategias. Quizá sin tocar esos extremos merezca la pena reflexionar sobre las cuestiones cotidianas de la familia.

J.G.R.

SU HIJO DEPENDE DE SU ACTITUD DE PADRE

1. Su hijo depende de usted, no sólo en lo asistencial sino en lo psicológico y social.

2. Aquello que usted siente y piensa sobre su hijo es lo que le transmitirá en forma de conductas.

3. Esas conductas transmitidas a su hijo son la base de la educación de los padres.

4. Esas formas de asimilar las conductas de los padres por parte del hijo son las que producen el desarrollo de su personalidad.

5. La personalidad de su hijo, a su vez, genera conductas que recibe usted como padre y generan nuevas actitudes, que a su vez vuelven a producir otras conductas en usted y su hijo.

6. Es la pescadilla que se muerde la cola. Todo en la familia está interrelacionado e influenciado.

7. Su hijo a cualquier edad recibe también el impacto de esta dinámica familiar.

LO QUE SUPONE NO ACEPTAR A UN HIJO

Diego, de 30 años, se ha quedado sin trabajo, pasa una racha fatal, sus pensamientos son negativos. Acaba además de tener su tercer hijo, y la verdad, eso es el colmo para él. Esto sucedió hace siete años. Diego consulta a un psicólogo sobre este hijo. Ahora es un empresario bien situado. Cuenta que a este niño no le quiso abrazar, llegó a no desearlo, y esto le produce ahora sentimientos de culpa al ver que su hijo posee una personalidad afectiva «rara». Al menos, éstas eran sus sensaciones... La actitud de este padre, ante la coyuntura de su vida laboral, repercutió en sus propios pensamientos, deseos y afectos, lo que se tradujo en comportamientos que, dirigidos hacia su hijo en la edad de la ternura, produjeron unos efectos sobre la estructura de la personalidad del hijo. Su actitud fue mantenida sistemáticamente durante mucho tiempo, no sólo no quiso abrazarlo sino que el rechazo se tornó continuado y expresado en mil detalles.

UNA ACTITUD QUE ESTIMULA AL HIJO

Ricardo, de 39 años, salió por la mañana a eso de las doce con su hija de tres meses a darle una vueltecita con el carrillo. Siempre que podía la tenía en brazos y la enseñaba a sus amigos y familiares. En la cara se le descubría satisfacción. Todo eran halagos hacia ella. La niña recibía con auténtico deleite esta dedicación paterna. El contacto, el movimiento, eran fuente de estimulación continua, y a la niña se la veía feliz. Era su tercera hija. Ricardo comentaba que era una niña muy deseada y querida. La actitud de Ricardo claramente produce unas conductas que estimulan a María.

CAPÍTULO IV

LA RESPONSABILIDAD DE SER PADRE Y DE SER HIJO

En la cotidianidad de la vida familiar

En la cotidianidad de la vida está la clave del éxito educativo. No se puede dar todo o no dar nada. Ser inflexible o ser flexible hasta un grado inconmensurable. Hiperproteger (excesiva preocupación por el hijo a quien cuidamos sin límites) o no mostrar ningún interés. Desde muy pequeños los niños están condicionados por el propio modo de ser de los padres. Y, ¡ay de ti...!, puedes hacerlo caprichoso, egoísta, agresivo, antisocial... O equilibrado, independiente, autónomo, solidario... Puedes llegar a las medias tintas entre uno u otro extremo.

> Hay que ser equilibrados con los hijos: ni inflexibles ni flexibles en grado máximo.

Nuestro hijo, en parte, es aquello que nosotros proyectamos sobre él. Más es lo que le damos a través del ambiente que lo que le viene dado por su dotación biológica. La dotación biológica pudiéramos decir que espera lo ambiental para dar expresión terminada a la persona.

«Cuando el niño encuentra su puesto dentro de la familia mira a su hermano y hermana de otro modo.»

BABY

La reflexión que le proponemos no es nada fácil. ¿Quién es usted para su hijo?

Siete reglas de oro

Todos los niños necesitan saber que sus padres les quieren. También deben aprender que no pueden hacer todo lo que se les antoje:

1. Demostrar amor.
2. Establecer reglas claras.
3. Ser consecuentes y flexibles.
4. Fijarse más en lo positivo que en lo negativo.
5. No a los «noes».
6. Castigo sin pasarse.
7. Más vale prevenir... ¿mimos? Sí, todos los que hagan falta. Pero también un recinto protector con reglas y límites.

PADRES HOY

Quizá debiera escribir una reflexión que valga para su vida diaria en referencia a la madre o al padre que es. Todo puede comenzar con un buen pensamiento, que anima a la actitud, y éste a un comportamiento mejorable.

Paternidad y educación

Carta de un hijo a todos los padres del mundo:

«No me des todo lo que te pido. A veces te pido sólo para ver hasta cuánto puedo tomar. No me grites. Te respeto menos cuando lo haces, y me enseñas a mí también, y yo no quiero hacerlo... No me des siempre órdenes. Si en vez de órdenes a veces me pidieras las cosas yo lo haría más rápido y con más gusto. Cumple las promesas, buenas o malas. Si me prometes un premio, dámelo, pero también si es castigo. No me compares con nadie, especialmente con mi hermano o hermana. Si tú me haces lucir mejor que los demás, alguien va a sufrir, y si me haces lucir peor que a los demás, seré yo quien sufra. No cambies de opinión tan a menudo sobre lo que debo hacer, decide y mantén esa decisión. Déjame valerme por mí mismo. Si tú haces todo por mí, yo nunca podré aprender. No digas mentiras delante de mí ni me pidas que las diga por ti, aunque sea para sacarte de un apuro. Me haces sentir mal y perder la fe en lo que me dices. Cuando haga algo malo no me exijas que te diga por qué lo hice. A veces ni yo mismo le sé. Cuando estás equivocado en algo, admítelo y crecerá la opinión que yo tengo de ti y me enseñarás a admitir mis equivocaciones también. Tratarme con la misma cordialidad y amabilidad con que tratas a tus amigos, porque seamos familia, eso no quiere decir que no podamos ser amigos

Nuestros hijos son personas que merecen el máximo respeto, nunca debemos pensar que nos pertenecen.

también. No me digas que haga una cosa y tú no la haces. Yo aprenderé y seré siempre lo que tú hagas aunque no lo digas. Pero nunca haré lo que tú digas y no hagas. Y quiéreme y dímelo. A mí me gusta oírtelo decir, aunque tú no creas necesario decírmelo.»

ECCA

La separación de los padres

«La separación de los padres no es en sí un problema, el problema se genera con las implicaciones emocionales que afectan a todos los miembros del grupo familiar. La separación no es un problema únicamente entre adultos. La pareja puede separarse como tal y no hacerlo como padres; el niño es protagonista involuntario.»

DR. CASTELL

En la familia pueden suceder una ingente cantidad de cosas, una de las más delicadas es la separación de los padres.

Un compromiso comienza con una buena idea. Una reflexión condiciona el propio hacer en el día a día. Es precisamente ese día a día el que construye a su hijo o, en el peor de los casos, le destruye. Le deja en una medianía o lo impulsa hacia el progreso. Las relaciones de familia, las de pareja, la pareja como padres, los demás hermanos, la situación del hogar, el trabajo, las ansiedades, las actitudes internas y los pensamientos, los comportamientos, mi cansancio, la tristeza o la alegría, están influyendo en nuestro hijo.

Divorcio: ¿Qué pasa con los hijos?

> *«Todos los niños sufren cuando sus padres se separan. Pero hay formas de ayudarles. Los niños tienden a pensar que son los culpables de la separación de sus padres. Deben saber que no es así. La inseguridad y los sentimientos de culpa generan un profundo miedo en los niños. Un contacto muy estrecho: inmediatamente después de la separación es necesario que los padres superen sus diferencias y faciliten a sus hijos el contacto con el padre ausente. Ayuda para los padres: las conversaciones con amigos y familiares pueden ser útiles para superar el problema. Pacto de no agresión: utilizar a los hijos para fastidiar al otro es siempre una vía equivocada.»*
>
> LINA CAMP

No se trata de que usted cuestione milimétricamente su vida. Pero haga de cuando en cuando un alto y reflexione, como lo hace ahora quizá sentado tranquilamente en el sofá de su casa mientras lee este libro. ¿Cómo influye el entorno que usted habita? ¡Anímese! Las cosas tienen un carácter más universal de lo que nosotros creemos. Nuestro modo de vivir es un modo social de

No le proponemos que usted observe su vida milimétricamente, aunque sí es bueno que reflexione.

vivir, un modo antropológico de vivir, un modo cultural de vivir...

¿Qué sería de los niños si no tuvieran a sus abuelos?

«El niño perdería unos personajes fundamentales en la convivencia familiar. Los abuelos desempeñan un importante papel en la familia. Decía un periodista que se aprende más de diez abuelos que de diez expertos en temas familiares.»

DR. CANTELL

Los principios de la familia nos condicionan y marcan un estilo en la manera de ser para todos sus miembros. Se habla de crisis en la familia. Y es verdad, el ser humano siempre ha estado en crisis. También gracias a ella cambiamos y mejoramos. Las crisis suponen una revisión y un cambio. La crisis en la familia se produce porque la familia es algo vivo.

La familia actual tiene su peculiaridad en que el padre y la madre trabajan y esto establece un nuevo orden.

¿Reyes o tiranos?

«Aquí mando yo. *Los padres deben marcar a sus hijos el territorio. Las consecuencias de la falta total de normas y reglas en la relación con los niños son tan peligrosas como un exceso de autoritarismo.»*

Triste de mí. *Los padres deben observar si sus hijos son felices. La tristeza de un niño es algo mucho más profundo y con más trascendencia que una simple crisis de rabieta o pataleo.*

Ni se compra ni se vende. *El cariño y el respeto de los niños no tienen precio. Ellos prefieren la atención y la presencia de los padres al juguete más sofisticado.*

Lolita precoz. *Todas las niñas quieren parecerse a mamá. El peligro es que la madre quiera hacer de su hija un reflejo exacto de ella misma. La educación debe respetar la personalidad del niño.*

Con toda la barba. *Algunos padres hacen de sus hijos adultos pequeñitos. Flaco favor. La niñez debe ser vivida plenamente en cada una de sus etapas y no como un mero progreso a la adultez.*

Exceso de celo. *Los padres primerizos pueden sentirse desbordados por la avalancha de información sobre la educación infantil y no pararse a mirar directamente a su hijo.*

Mamá al aparato. *Hay que desterrar la culpabilidad. La calidad del tiempo que pasamos con nuestros hijos es tan importante como la cantidad. Es cuestión de organizarse.»*

EL PAÍS

La familia de hoy pide mucha calidad en las relaciones que se establecen entre sus miembros.

¿Cómo es mi familia?

¿Cómo se estructura su familia? El modelo de familia que usted viva repercute en su hijo. Las formas familiares son muchas y muy variadas en nuestra sociedad. Las crisis de familia deben ser solucionadas.

Lo que soluciona cualquier crisis que se produzca dentro de familia, como si de una varita mágica se tratara, es la comunicación humana entre sus miembros.

Existen multitud de modos de comunicar los estados de ánimo de la familia. Ninguno de los miembros es indiferente a los ambientes emotivos que se producen en la familia. Ellos repercuten en los modos familiares.

Decálogo para los padres

1. *Respetar al niño.*
2. *Hacerse respetar por él.*
3. *Mantenlo alejado de la televisión y los videos.*
4. *No empujar a ser competitivo.*
5. *Pensar menos en su carrera, más en él.*
6. *Atención a su dieta: la grasa no es bella.*
7. *Aprender a escuchar sus necesidades emotivas.*
8. *No humillar jamás.*
9. *Recordar que él observa: el ejemplo que se da es fundamental.*
10. *No ahorrar en amor.*

DOCTOR SPOCK

Sobreproteger no es bueno

Si usted como padre sobreprotege a su hijo esto no deja de ser una expresión de conducta, una actitud que usted tiene en su interior. Detrás de su conducta de sobreprotección pueden existir multitud de cuestiones personales.

Todo eso repercute sobre su hijo.

La sobreprotección de los hijos es el mal de nuestro tiempo. Sobreprotegemos porque queremos evitar los daños del entorno social. Porque quizá lo percibamos como peligroso y competitivo.

> Ante las crisis de familia hay que ser maduros, o todo se irá al traste por nimiedades.

Pero no podemos ni debemos aislar a nuestro hijo, crecería en una ficción del mundo. Las actitudes que los padres adoptan hacia sus hijos modelan la personalidad y la vivencia básica de los niños.

Lo crea o no, una actitud inadecuada puede darse ya desde el momento mismo del nacimiento.

Si se mantiene dicha actitud, los daños pueden ser grandes. Reciba aquí una pauta práctica: ¡No sobreproteja a su hijo! ¡Quiéralo! ¡Ámelo!, pero no intente encerrarle en una bonita campana de cristal.

Desde la tierna edad podemos ya hacer que nuestro hijo dependa demasiado de nosotros, y eso nunca es bueno. Hay que estimular la autonomía personal desde que nacen. Respetarlos en su propio ser para generar en ellos seguridad.

No le decimos: *«no dé satisfacción a las necesidades de su hijo.»* Sí le aconsejamos: *«aprenda a captar esas necesidades y darles una respuesta adecuada.»* No sea usted permisivo ni rígido en extremo.

No sería usted un padre o una madre excepcional si llega a sobreproteger a su hijo. Se asombraría al saber la cantidad de cosas que los padres tienen en común.

En principio nos une un modo de vivir: el trabajo, las ansiedades, los problemas sociales, políticos y personales. Todo lo que somos y lo que son los otros.

Nuestro modo de vivir diario condiciona la dinámica de la familia. Condiciona la educación de nuestros hijos y su propio desarrollo. Todo depende del tiempo que estemos con nuestro hijo, el modo en que usemos ese tiempo en términos de calidad. Si nuestro estado es positivo o negativo. Si trabajamos mucho o poco, o nada. Son factores que condicionan. El estado de la pareja. La división de funciones...

Lo ambiental repercute sobre los modos de ser de la familia. No podemos entender que todo esto no influya de alguna manera sobre nuestro hijo.

Viva esta reflexión que le hemos propuesto en la comodidad de su cotidiano sofá mientra lee este libro. Estreche a su hijo entre sus brazos (si es pequeño), y mientras expresa su ternura, medite en estas cosas: sobre la realidad que usted vive día a día.

Nada es indiferente para su hijo. No se abrume. No se llene de ansiedad. Potencie a su hijo. Sea un guía, simplemente, aunque debe estar convenientemente preparado para esa función.

Principios básicos en la familia

Vamos a desarrollar unos principios fundamentales de familia en relación al momento actual social y cultural, porque esta referencia determina, como ya hemos dicho, el contexto donde se desarrollará su hijo. Es decir, que su situación actual, en su cultura y en su sociedad, está influyendo en gran medida en lo que usted hace con su hijo.

PAUTAS

1. En lo cotidiano está la clave del éxito educativo con su hijo.
2. Su hijo está de alguna manera condicionado por cómo es usted.
3. No quiera escudarse en que heredamos las cosas. El ambiente todo lo condiciona.
4. Todo puede cambiar detrás de una reflexión seria y comprometida.
5. No sea milimétrico e inflexible. Sea flexible y serio. Humano y dinámico.
6. Las crisis de familia constituyen su dinámica. Lo importante es salvar las situaciones con éxito.
7. Toda crisis de la familia se salva mediante la comunicación entre sus miembros.
8. Toda crisis de familia afecta a la edad de la ternura.
9. No aísle a su hijo del medio social. Sepa, poco a poco, integrar a su hijo en lo que acontece a su alrededor.
10. No se abrume. No se llene de ansiedad.
11. Usted es un guía para su hijo y debe estar convenientemente preparado e informado para desarrollar esta función.
12. Cuanto más equilibrio exista en la pareja mejor se proyectará la función educativa con los hijos.
13. Repartan sus tareas. Sean justos y equilibrados entre ustedes y sus exigencias. Que predomine el amor que les unió desde el principio.

Está demostrado que debe existir un equilibrio moderado entre dos personas esenciales en el medio familiar: el padre y la madre. El modo de ser padre y madre está también, como la familia en su conjunto, en perpetuo cambio. Lo más importante entre dos padres en relación a los hijos es que éstos actúen de modo coherente.

La incoherencia frente a los hijos

«Todo comenzó cuando unos padres se sentaron frente a mí y, con gran preocupación, me dijeron que su hija de nueve años se negaba en rotundo a ir al colegio: vomitaba, lloraba... Parece que la llevaron al pediatra y éste le recomendó un psicólogo al no observar nada físico en la niña.

Después de contarme esto, les pregunté a los padres lo que ellos hacían cuando la niña manifestaba estos síntomas.

Me contaron que, después del fin de semana, el domingo, la niña se ponía muy nerviosa si los padres le recordaban que tenía que ir al colegio al día siguiente. El padre, incluso, le había llegado a decir, alguna vez que otra, que no se preocupara, pues no iría al colegio, pero al día siguiente la levantaba y la llevaba, con las lógicas protestas y llantos de la niña.

Hay que ser coherentes frente a los hijos.

Esta muchacha era la mayor de dos hermanas, y a todas luces tenía los típicos celos que se establecen entre hermanos.

La hipótesis que en principio planteé era que ella llamaba la atención por causas afectivas (referidas a la hermana pequeña) y que como consecuencia todas sus conductas iban encaminadas a tener muy atentos a los padres (un objetivo infantil lógico por otro lado).

Les pregunte si la niña no se despertaba por la noche, y me contaron que sí, que le encantaba dormir con ellos.

La madre, frecuentemente, en cuanto la oía (por el tema de los terrores nocturnos) iba a su cama y se quedaba con ella hasta que retomaba el sueño. El padre se la llevaba a la cama del matrimonio. Aquí empecé a notar diversas opiniones entre ellos. En realidad, pude observar en aquellos padres la existencia de puntos de vista sobre la educación de sus hijos irreconciliables; de tal modo que la niña los manejaba como consecuencia de las contradiciones existentes entre ellos.

Lo que usted hace por su hijo está mediatizado por su situación.

Lo del colegio, los vómitos, las pesadillas (aunque fueran reales en su base), todo lo usaba para que sus padres, en sus diferencias, estuvieran centrados en darle atención (era una forma como otra cualquiera de obtener afecto), siendo esta necesidad de la niña un tema típico (lo natural de los niños es intentar satisfacer sus deseos, mientras que el de los padres es el de controlarlos).

La niña usaba las grandes contradicciones de las actitudes de los padres, frente a su comportamiento, en provecho propio.

Esto me fue evidenciado cuando les pregunté sobre cómo consideraban ellos que la niña evolucionaba con respecto a las tareas de aprendizaje:

—¡Por eso no paso! —dijo el padre—. ¡No consiento que mi hija utilice los dedos para hacer cálculo!

Y de repente, muy enfadada, dijo la madre:

—¿Cree usted que le borra lo que la niña hace en su cuaderno? Y ella llora y se opone.

—¡Claro, por eso no puedo pasar!: el cálculo debe hacerlo mentalmente, y no con los dedos —insistió el padre con cabezonería.

La madre volvió al ataque:

—La niña llora porque dice que su profesora le pide que lo haga así.

Entonces intervine con un razonamiento hacia el padre:

—La verdad es que con el tiempo el cálculo debe lograrse de una manera mental; los profesores lo van consiguiendo de modo gradual: cuando los niños se inician en el cálculo los dedos son un soporte que facilita la comprensión de esta actividad mental; luego, esta muleta, poco a poco, va desapareciendo. Sería bueno que, junto a su profesora, ustedes lograran un criterio homogéneo para actuar.

Los padres deben procurar armonizar lo máximo posible las divergencias de criterios con respecto a lo que se les pide a los hijos.

Intervino de nuevo el padre diciendo que no, y él y la madre se enzarzaron en una nueva discusión, sin que de ello sacaran nada en claro.

Poco a poco, se pusieron de manifiesto las diferencias de criterios en multitud de otras cuestiones de la vida cotidiana.

Por lo que vi con claridad, la falta de consenso en estos padres era la causa de la conducta de la hija en todos los sentidos. Les propuse, con respecto a la niña, no cambiar nada, pero ellos sí debían revisar sus diferentes actitudes, al menos en lo referente a sus propios hijos. Así vi con claridad que los hijos actúan, en parte, como reflejo de sus padres.»

Casos de padres separados...

«Era joven y muy bella, se sentó delante de mí apoyando su mano derecha en la barbilla, y me dijo:

—¡Tengo un problema!

Esta mujer estaba separada de su ex marido en un matrimonio anterior. Esto le había acontecido hacía muchos años. En ese matrimonio había tenido una hija que ahora estaba próxima a la adolescencia.

Se había casado de nuevo, y era feliz con un hombre con el que tenía dos hijos más. El marido anterior nunca había intervenido, después de separarse, en la educación de su hija, pero ahora exigía su derecho: ver, atender y educarla.

—Mi hija no quiere saber nada de su padre. Es para ella un hombre extraño: ¿qué hago? ¿Cómo le dejo ir con un hombre que aunque sea su padre biológico no ha visto sino en contadas ocasiones?

Narraba esta mujer, muy preocupada, que nunca había existido relación entre ellos para considerar la función propia de los padres.

Le producía miedo que ahora interfiriese desorganizando la labor realizada con su hija durante tantos años. Realmente, era su esposo actual quien había desarrollado el rol de padre con aquella niña.»

Es necesario en las separaciones entrar en una gran armonía en lo que respecta a las obligaciones de padre, otro tema es la divergencia en la relación de pareja.

El modo en que se diversifiquen los *roles* de sus miembros conforma los principios educativos de la familia. Hay que tener claridad en los criterios, saber diferenciar las cosas: la función de padres y la de pareja, por ejemplo, deben entenderse por separado. De tal modo que la función de padres es una responsabilidad para siempre, y la de pareja se sujeta a otras leyes. Cuando los progenitores diferencian sus *roles* de pareja y de padres, si existiese un conflicto de pareja que les llevase al divorcio, por ejemplo, no repercutiría en su función de padres.

El odio que todo lo destruye...

«Cuando ella hablaba de él, o él de ella, se les transfiguraba el rostro; les notaba un gesto como de asco.

Me quedé un instante preocupado y pensativo, y me dije: ¿cómo dos seres que habían tenido tanto en común ahora se odiaban hasta límites insospechados? ¿Era posible la reconciliación? ¿Podría convencerles de que debían, por el bien de su hijo de cinco años, entenderse como padres? Estaba absolutamente convencido de que nunca se comprenderían.

Ya habían contado a su pequeño hijo, cada uno, el mal padre que era el otro, lo que le había hecho y dicho el odiado "otro", y esto lo hacían para que cuando fuera mayor supiese quién era cada cual, y valorase, el hijo, lo bueno que era cada uno de ellos.

Me angustiaba como persona ver tanto odio acumulado: lo distorsionaban todo, todo lo complicaban. Finalmente, la víctima era el niño. Aquellos ex esposos como padres eran perniciosos, egoístas, insensatos, inmaduros y peligrosos.

Aquellos padres siempre repetían la misma algarabía, todo era una persecución, reproches continuados, desacuerdos, intentos de cambiar legalmente las cosas: un conflicto generalizado.

Aquí la desesperación y el caos era el imperio de los padres. Con el tiempo, el hijo de este matrimonio creció con muchos desequilibrios emocionales, afectivos e intelectuales.»

Si las funciones de padre y de pareja no están separadas convenientemente, ante un conflicto de la envergadura de una separación, el ejercicio de la función de ser padre quedaría desequilibrado, y justo en este punto las víctimas son los hijos.

Los hijos dependen desde que nacen de esa función. El cometido de ser padres debe estar lleno de madurez, de responsabilidad, de criterios aunados, de sensatez, de equilibrio, de reparto de tareas y funciones. El padre y la madre deben estar juntos ante una responsabilidad com-

FUNCIONES DE SER PADRE

1. Aprenda a captar las necesidades de su hijo y dé una respuesta adecuada a sus demandas.

2. Nuestro modo de vida influye y determina la educación del niño y de su personalidad. Ser padres separados puede enriquecer la experiencia de su hijo si existe un consenso y un diálogo continuado como padres, ése es el mejor camino de los padres divorciados.

3. La función de ser padre debe estar llena de madurez y responsabilidad, o la auténtica víctima es el hijo. Los padres deben ser coherentes.

4. Los padres deben tener una responsabilidad compartida en cualquier caso: separados o no. Ser padres es algo que dura toda la vida. No podemos supeditar la madurez de nuestros hijos al arbitrio de nuestras necesidades, resulta imprescindible el sacrificio, la entrega, la negación de uno mismo y la búsqueda de la felicidad del otro.

partida. Los dos viven y disfrutan en una justa medida lo bueno y lo malo de su hijo, otra historia es la relación de pareja.

La función de ser padre y ser hijo

Esto es un ejercicio obligatorio y continuado de la función de ser padres. Los hijos deben aprender que existe también la función de ser hijos: es decir, que la familia es un núcleo donde se intercambian aspectos humanos según unas normas, unas reglas de socialización y armonía.

Ni los padres pueden ir a su aire, ni los hijos al suyo; la libertad individual no está reñida en absoluto con esta regla. Los padres deben aprender a serlo y los hijos también. Ésa es la suteliza de la dinámica familiar: el respeto y la justicia aplicada entre los miembros de la familia; ésa quizá sea la base fundamental de esta institución.

> Los hijos siempre son los primeros que se deben considerar en los temas esenciales de familia. Nadie nace sabiendo qué es ser padre y qué es ser hijo, eso se aprende con la experiencia, y esa dinámica instituye la singularidad de la familia.

Todo esto nos indica a las claras por qué la familia está en crisis permanente. No existe un modelo de familia a piñón fijo: existen muchos tipos de familia.

La familia se hace a sí misma en su singularidad y es producto de un determinado proceso. Nadie viene al mundo sabiendo qué es ser padre o ser madre o ser hijo, en el sentido del ejercicio de las funciones que implican el desempeño de esos papeles. Armonizar en el hogar todas las tendencias y los eventos personales es lo que hace de la familia una célula social que muta y vive, que es fuente en su unión con otras «células» de sistemas sociales más complejos; o que, en el sentido contrario, puede enfermar. La patología de la familia existe, y cuando está muy generalizada podemos hablar de patología social.

Circunstancias que modifican la familia

Cualquier evento circunstancial puede afectar a la familia de una manera radical (hemos visto en parte el tema del divorcio). La posición que ocupa un hijo en el ámbito familiar no es indiferente para la familia; la venida al mundo de un hijo supone establecer una nueva dinámica: hay hijos que rivalizan fraternalmente; las tareas cotidianas cambian; hay un nuevo reparto de funciones...

Nos deberíamos preguntar siempre ante sucesos familiares cómo éstos sí influyen positiva o negativamente en la dinámica de la familia.

El primogénito

Se dice que el niño primogénito está más estimulado porque los padres lo animan más. No se trata de una cuestión de afecto, sino de lógica. Existe más tiempo exclusivo para dedicarle. Al ser el primero todo es más novedoso y nos dedicamos más a estimularlos, verificándose estadísticamente que los primogénitos son más inteligentes porque han recibido más apoyo.

Éste es un motivo que justifica por qué los padres deben prepararse para estimular de una manera ordenada a todos sus hijos, no importa la posición que ocupen, es decir que la experiencia de haber sido padres con un primer hijo no influya a la hora de estimular al segundo para que genere brillantez y capacidad en el mismo grado.

> Multitud de pequeños eventos es lo que le da un carácter vivo y dinámico al tema de la familia.

Esto no se hace de modo intencionado, sino que parece que la experiencia de haber sido padre nos relaja en la actividad que generamos frente al segundo.

Si nos relajamos en temas como la excesiva ansiedad ante el hijo, y otros aspectos negativos está bien, pero sucede que también esa relajación llega a los aspectos positivos: estimular por más dedicación.

Por otro lado, la lógica nos dice que dos hijos no es igual que uno: hay que dividir el tiempo de dedicación, y el resultado evidente es lo que hemos comentado: hay menos tiempo exclusivo para el segundo (según las estadísticas).

Recuerde

1. *Su hijo adquirirá una serie de características psicológicas según su lugar de nacimiento.*
2. *Cuanto mejor sepa cómo influye nacer primero, segundo o tercero mejor podrá trabajar en esas características para potenciarlas o inhibirlas.*
3. *Todos los miembros de la familia dejan su huella en el desarrollo y la maduración del niño nacido aquí y ahora, a lo largo del tiempo.*

Los hijos en las otras posiciones

La personalidad del segundo hijo se genera en parte también en relación (o influenciado) al lugar que ocupa. Ya no es una novedad. Debe de alguna manera hacer méritos para llamar la atención. Debe mantener en equilibrio las tendencias del primogénito. Este contexto hace de él una persona con tendencia a la diplomacia, en cierta manera a la oposición, etc. Los esfuerzos parten más de su mismidad que genera rasgos de carácter.

Luego, la posición de los terceros hace que su personalidad esté frente a un núcleo social muy complejo donde ella, o él, aprende multitud de riquezas de estímulo social.

La personalidad del más pequeño puede ser creativa y de gran independencia. De cualquier manera, si al más pequeño se le hiperprotege y no se le deja crecer de manera autónoma puede ser una persona inmadura.

Mire a cada uno de sus hijos según su edad: ¿qué lugar ocupa en la familia? Las actitudes de sus miembros hacia él no le son indiferentes. Procure hacer que sea estimulado tan convenientemente como lo fue el primogénito; que logre una autonomía como el segundo, y una personalidad creativa e independiente como el benjamín de la casa.

LA SEXUALIDAD EN LOS HIJOS

Por fin un tema de fondo difícil, vivo, entrañable: el dulce sexo.

Había mirado a mi alrededor antes de atreverme a decir palabra alguna para ver cómo andaba el tema entre mis semejantes; en mí también estaba el dulce sexo palpitando. Busqué en el diccionario Sopena Ilustrado: «sexo» *(Conjunto de condiciones anatómicas y fisiológicas propias y características de cada sexo. Apetito sexual. Propensión al placer carnal —me dijo—).* Yo no estaba totalmente contento con la definición de mi ilustrado diccionario; me pareció demasiado biologicista o instintiva, lo cual, indudablemente existe en el dulce sexo. Yo deseaba ver más:

¿Dónde estaban esas modernas definiciones que hablan de la sexualidad como conducta? Es decir: ¿dónde están esas teorías sobre las respuestas sexuales que se aprenden del medio; las que se educan; las que conforman la madurez del sexo; las que hacen de la sexualidad algo humano y hermoso? Muy pensativo, me di con los nudillos en la cabeza. ¡Por fin estaba hecho un lío! En breve tenía que dar unas directrices sobre sexualidad a adolescentes de trece años. ¡Menudo embrollo! ¿Les diría que la acepción «sexualidad» no aparece en mi diccionario? De la sexualidad humana, referida al dulce sexo, me llamó siempre mucho la atención la dimensión de AMOR que ello implica. Toda esa carga de respeto, de comunicación, de intercambio, de gloriosa sensualidad y delicadeza que engloba la sexualidad humana, como experiencia sutil, delicada, de encuentro, de plenitud...Y eso, para mí, era muy importante para educar el dulce sexo. Las actitudes sexuales deberían ser educadas en los medios familiares y escolares. Los adolescentes tienen que aprender sexualidad.

Ciertamente, estaba insatisfecho con mi diccionario ilustrado. ¿Acaso lo fisiológico, el apetito y la propensión en el dulce sexo, que nos viene dado a todos de antemano, era la única sexualidad? Somos seres sexuales antes del nacimiento, durante nuestra infancia, en nuestra adolescencia y juventud, en nuestra adultez y vejez; hasta la muerte. La sexualidad es algo natural que también aprendemos y nos enseñan; nos viene dado y se nos da. El equilibrio del dulce sexo depende de la familia y la escuela: del rigor y de la verdad que proyectemos en nuestros hijos y alumnos, nunca de la falsedad y el espejismo, de una falsa moral.

Troné algunas frases en el aula de los adolescentes mientras garabateaba un esquema con la tiza blanca sobre la pizarra verde. Los alumnos me ilustraron sobre sus conocimientos. Me hablaron del instinto en relación a la sexualidad. Invariablemente la sexualidad iba ligada al concepto de instinto. ¿Por qué no?

También era así: *Freud* había descrito la sexualidad como instinto. Esto llevaba necesariamente al biologismo del apetito del que habla mi ilustrado diccionario. Alguien había preguntado a Freud (hacia el final de su vida): *«¿Sigue poniendo el máximo énfasis en el sexo?»*. A lo que él contestó: «*Le responderé con la palabra del gran poeta Walt Whitman: "Todo nos faltaría si nos faltara el sexo"*.» *Freud* había dado ya un vapuleo morrocotudo a la cultura de los falsos moralismos. También dijo al «preguntador»:

«El instinto sexual es tan poderoso que choca con las convenciones. Y se tiende a restarle importancia.» Él demostró la existencia en la niñez de una prematura actividad sexual infantil, no como un fenómeno excepcional sino formando parte de la vida misma de los niños y de los adolescentes. Freud tuvo mucho mérito en su tiempo, pero ha llovido mucho desde entonces. Me pregunté si podría darles a mis jóvenes oyentes una dimensión sobre la sexualidad con aspectos más modernos. Nuevos pensamientos. No podía quedarme en el aula anclado casi en el siglo XIX. Recordé al sabio Darwin y algunos seguidores suyos hablando de instinto: el instinto del trabajo, el instinto de la guerra y la paz... En aquella época había instinto en todo. Hoy educamos para la paz, para el trabajo, para el AMOR. Hablamos de actitudes que se aprenden. Al terminar el esquema, troné de nuevo en el aula. Creo que me oyeron. Dije: «La sexualidad humana es educación en el

AMOR». La sexualidad humana se APRENDE. La sexualidad no solamente es "genitalidad" como en los animales. No sólo es energía biológica que tiende al acto fisiológico.

Es CONDUCTA ASIMILADA EN RELACIÓN A LAS TENDENCIAS Y LOS DESEOS. Como diría el pediatra catalán Maideu i Puig, *«según un diseño evolutivo, a partir del momento del nacimiento se inicia un largo proceso de aprendizaje, inmerso en un proceso global de socialización enmarcado dentro del desarrollo infantil".»* Creo que todos los alumnos lo vieron. Levanté en alto una ilustración de un niño pequeño que observaba y tocaba sus genitales de modo espontáneo. Y troné nuevamente:

«Cuando un niño explora su cuerpo y siente sensaciones, ese conocimiento de sí mismo es sexualidad.» Y señalé en mi esquema: *«El sexo es más que acto sexual. La sexualidad es AMOR vivido como cuerpo y como afecto y emoción.»* Sé que me entendieron. Y subrayé la idea: *«La sexualidad como amor es algo que se aprende. Toca los sentimientos globales. La convivencia.»* Aquello lo había dicho pensando en educar al dulce sexo. Alguien les explicaría la mecánica del impulso (libros de texto, profesores de ciencias naturales...), ¿pero quién les hablaría de AMOR?

Recordé a los más pequeños. Sus cuerpos llenos de sensaciones físicas en un cerebro en formación. Desde que el niño nace la sexualidad es educación de la afectividad. Vi a un niño pequeño mirando a otro niño pequeño. Y le puse voz a su mirada: *«Mi cuerpo es como el tuyo»*. Ante otro niño observó: *«Mi cuerpo es diferente al tuyo»,* dijo, viendo a un niño de otro sexo. Y así, había vivido la primera lección de anatomía diferencial entre hombre y mujer: comprendió que el mundo era diverso. Vi también a otro niño explorando su cuerpo e interpreté su curiosidad. Sintió sensaciones. ¿Por qué no repetir?, se dijo. Existía sólo sensación, y para él era bueno. Su padre le dijo: *«No seas marrano. Eso no se hace.»* Y el niño aprendió que aquello era malo, pero decidió hacerlo a escondidas. Entonces comprendí que el niño, por primera vez, tenía un complejo. Hay que orientar sin asustar, ser naturales. Cada tema a su tiempo. No a los excesos de información. Canalizar la cultura sexual de modo formativo. Interpretar lo que nos rodea. No al falso liberalismo de lo simple y escueto. Hay que delinear profundamente el recato y la intimidad. Los modelos están en casa. A cada edad lo que le corresponda. Nuestra cultura es una cultura sexista, profundamente arraigada en las pequeñas costumbres cotidianas. Podemos negarlo, pero ahí está esa evidencia. Si nos analizásemos observaríamos una ingente cantidad de respuestas diferenciales de hombres y mujeres relacionadas con la naturaleza del sexo. Para Paulino Castells la sexualidad son también *«patrones que practicamos como hábitos y preferencias emocionales que hemos aprendido y están con nuestra manera de ser»*. La sexualidad es una manera profunda de relación interhumana, no solamente es excitación y orgasmo, que también lo es, pero quizá sólo en una pequeña parte.

Razonemos en esa línea: según tengamos delante a una persona de uno u otro sexo nuestros comportamientos pueden ser también diferenciales. Es verdad que el sexo es un tema biológico, un asunto cromosomático, X, Y, que condiciona para siempre nuestra naturaleza sexual y nuestras características femeninas o masculinas. Pero es indudable que nuestra cultura, nuestra educación, también ratifican las diferencias que no son malas en sí mimas, son malas las discriminaciones y las injusticias que el hombre hace basándose en ellas. Dice el autor antes citado, refiriendose a la educación sexual, que el problema de esta educación no reside en sí misma sino en quién la imparte, y de su actitud referente a su propia sexualidad. La actitud de la familia y de la escuela es muy importante en esta educación. Las diferencias biológicas no deberían hacer ni justificar nunca tratos diferenciadores entre hombres y mujeres: un comportamiento para la mujer y otro diferente para el hombre. Deseamos lo mejor para nuestros hijos, no importa el sexo, pero, ¿siempre adoptamos esta actitud con respecto a los dos sexos? La sociedad moderna lo intenta; reflexiona sobre ello.

Pero todavía existe una cantidad enorme de valores claramente discriminatorios. Muy probablemente nuestros hijos, en el día a día, reciban cantidad de influencias externas condicionadoras según su sexo: expectativas, exigencias. Si analizásemos nuestro entorno veríamos que continuamente se están marcando diferencias. En la televisión hay juguetes típicos para nuestros hijos según sea de una u otra naturaleza sexual, y ellos van cargados de valores y sentimientos (agresividad, fortaleza, atrevimiento unos; otros dulzura, delicadeza...). Muchas veces, lo que proyectamos sobre nuestros hijos son modelos y formas según la condición del sexo. Cuando nuestros hijos no funcionan según los *roles* típicos del sexo nos asustamos, consultamos a los especialistas, nos angustiamos. Y es que cada sexo, pensamos, se debe a su papel, un papel que se enseña en la familia y la escuela. Repetimos que no son malas las diferencias, malas son las injusticias.

Eso sí, debemos ser equitativos en nuestros comportamientos y actitudes, justos con nuestros hijos varones o mujeres. Parece que existen estudios certificando que respondemos de diferente modo ante los sexos. Nuestros hijos más pequeños aprenden imitando modelos, y en la familia los modelos masculino y femenino están presentes en el padre y la madre, y si existen, entre hermano y hermana. Las diferencias de sexo están cargadas de tonos, maneras, actitudes, expectativas, juegos y juguetes, vestidos, modales, comportamientos... Están llenas de nuestra cultura. Y repito, las diferencias no son malas; lo que puede ser malo es nuestra actitud y nuestros valores. Es terrible que un niño pueda aprender en la escuela, o en la familia, que es más valioso ser niño que niña, o a la inversa. Estamos en una sociedad donde se valora la igualdad de oportunidades, esas oportunidades iguales deben ser inculcadas en nuestra familia y en la escuela. Como vemos, esto no es un tema de cromosomas X, Y, sino de cultura: nos vestimos diferentes, nos observamos diferentes, decimos que complementarios, pero, ¿esas diferencias son respetadas? ¿Son valoradas de igual manera? Éste es el quid de la cuestión.

Cuando a uno de nuestros hijos varones le recriminamos diciéndole: *«Pareces una niña»* o, *«Eso no se hace, es de niñas»* —por ejemplo— estamos diciéndole a nuestro hijo *«ser niña no es bueno»*. No hagamos de las diferencias algo bueno o malo. Los niños están atentos a esas valoraciones. Ser diferentes es bueno, valorar las diferencias en el sentido negativo es malo (se llama machismo, racismo). El lactante descubre y se interesa por sus genitales de una manera natural tal como puede descubrir sus propias manos. A partir de los dos años el niño descubre su pipí, y hacia los tres se percata de las diversas maneras de orinar de los niños y de las niñas. La curiosidad de los niños es insaciable, y los misterios del sexo incitan a esta curiosidad. Los juegos sexuales son naturales entre niños y niñas hasta los seis años. Luego, con el pudor y necesidad de intimidad aparece un largo período de latencia que llega hasta la preadolescencia y adolescencia (11, 12, 13 años). Estamos en una cultura con exceso de información sexual. Hay una continua emisión de estímulos sexuales en nuestra sociedad. Tenemos que formar a nuestros hijos ante este influjo continuado de información. El equilibrio, la naturalidad, el recato, el buen gusto en la manera de tratar esa información excesiva debe estar presente en los criterios educativos familiares. La manera de vivir familiar condiciona esta educación. Se recomienda la salida del dormitorio paterno al niño durante los primeros meses de la vida. No aceptar las artimañas de los niños para compartirlo de modo repetido. Los niños pequeños se masturban, pero esta actividad onanista se corresponde con una fuente natural de estimulación interceptiva. Hay niños pequeños que utilizan esta fuente de placer como mecanismos compensatorios ante carencias emotivo-afectivas. Aquí no existe como en edades adolescentes la fantasía. Hay que ser sensibles ante estos actos, de tal modo que, por recriminar al niño pequeño, no le creemos complejos y sentimientos contradictorios.

Hay que educar los impulsos con sensibilidad, sin herir ni atormentar. En los cuentos podemos ver el simbolismo inconsciente de muchas tendencias sexuales infantiles. Caperucita Roja, Blancanieves, con todos su simbolismo. Gustan tanto porque descargan las energías interiores. Los niños deben escuchar muchos cuentos; con los cuentos los niños elaboran sus conflictos. Los padres no deben silenciar lo relacionado con el sexo. Se debe dar la información oportuna para cada edad con criterios comunicativos serios y sinceros. La sexualidad no es igual en una etapa evolutiva que en otra. El ser humano es sexual desde que nace, pero su sexualidad evoluciona como cualquier otra faceta y característica de la persona. Es malo negarla. Todo comienza y está condicionado en la educación sexual por nuestra propia condición.

J.G.R.

PAUTAS SOBRE LA SEXUALIDAD DE LOS HIJOS

1. Cuando son pequeños y usted ve que él o ella desarrollan actividades de masturbación, no se preocupe, es muy frecuente. Actúe simplemente educando, no dé valor moral a estos actos inocentes; para ellos son acciones como otras. Observe cómo son las relaciones afectivas del niño con su entorno, si hay alguna situación especial (cambios de colegio, nacimiento de un hermano), y actúe con naturalidad.

2. Enseñe a los adolescentes las características especiales de la sexualidad humana. Hay demasiada información biologicista (necesaria), pero también profundice en el tema del AMOR cuando eduque en la sexualidad.

3. La sexualidad es un tema que va mucho más allá de lo puramente sexual: lo social está impregnado de sexualidad, nuestra personalidad individual también; por eso, no deje de educar en este tema: no a la discriminación; sí al respeto y a la educación de los afectos; educar para que perciban y critiquen las actitudes sexistas negativas promocionadas por la comunicación (cultura de la imagen). Que aprendan los beneficios de las diferencias, y que no se castigue moralmente lo que la naturaleza distingue y nos da como bueno. La sexualidad como biología nos viene dada en forma de estimulación desde que nacemos, y eso hay que respetarlo, no debemos moralizarlo, ni castigarlo; aunque sí tenemos la obligación de educar.

CAPÍTULO V

ALGUNAS CUESTIONES TÍPICAS DE FAMILIA

En la cotidianidad de la vida familiar

En la cotidianidad de la vida está la clave del éxito educativo.

Usted como padre cumple un *rol* de importancia primordial. La presencia continuada, y en equilibrio, tanto del padre como de la madre, enriquecen la situación de la familia y, por tanto, son básicos en el equilibrio de las relaciones comunicativas que se establecen entre sus miembros y con el mundo que le rodea.

Es, en parte, algo lógico. La madre incorpora una dinámica con relación a su propio sexo, y el padre otras (que deben ser intercambiadas).

Esto es importante considerarlo, pues se dice que el niño es capaz de captar las formas de pensamiento y las actitudes a través de la conducta de las personas que le rodean. El papá, la mamá y los hermanos (si los tiene) son el referente más próximo. Y adquieren tanta importancia, que luego, más tarde, será la forma en que él o ella misma actúen en otros medios sociales, por ejemplo en en la escuela.

Cada miembro de la familia deja en el otro una pincelada de sí mismo que, de alguna manera, es la base referencial con la que el niño se moverá posteriormente en otros medios sociales. Fíjese lo que esto implica: que la esencia de la familia impregna al individuo. En el día a día, cada miembro de la familia es, un poco, lo que su familia es.

En los temas más frecuentes de la familia encontramos precisamente su universalidad y su singularidad a la hora de abordarlos. ¿Cómo se debe mover, y con qué criterios, el padre eficaz ante determinados avatares de familia? Vamos a comenzar tratando el tema de la rivalidad fraterna.

La rivalidad fraterna o los celos entre hermanos

Descripción

A nadie que tenga varios hijos le pasará inadvertido un fenómeno tan universal dentro la dinámica y la convivencia de la familia, llamado *«rivalidad fraterna»* o *«celos entre hermanos»*.

Ya encontramos, a lo largo de la historia de la humanidad, este evento reflejado sobre mitos, leyendas y multitud de creencias religiosas. La más famosa y dramática quizá sea la de Caín y Abel, y no menos cruel la historia de José y su venta a unos mercaderes por sus hermanos mayores; dice la Biblia: *«... vieron sus hermanos cómo le prefería su padre a todos ellos, y le aborrecieron hasta el punto de no poder siquiera saludarle»*.

Esta diferencia tensional, psicológica, que surge entre hermanos, la denominó Freud como el *«Complejo de Caín»*, y se considera, dentro de este fenómeno psicológico y social, las reacciones tanto externas (sociales) como internas (psicológicas) de los niños frente a sus hermanos.

En la dinámica de la familia existe un profundo proceso de socialización. Sus miembros deben reaccionar unos frente a otros: la pareja entre sí; la pareja con relación a sus hijos y a la inversa, y los hijos entre ellos. Que los hermanos reaccionen entre sí es algo natural dentro de las relaciones interpersonales de la familia, y estas reacciones adquieren diversidad de formas y signos.

Cuestiones de familia

Los celos y la rivalidad materializan un aspecto de un proceso social que, de alguna manera, afecta al psiquismo del niño o de la niña, de los hermanos adolescentes o, incluso, de los hermanos adultos. Determinan ciertas características de rasgos de la personalidad individual y social. Pero ni más ni menos que en una medida propia a la naturaleza de los hombres, a su sentido antropológico, histórico, cultural y social.

En la familia, entre los iguales se produce una gran disputa sobre algo esencial para sus vidas, tan importante o más que el alimento o cualquier otra cosa esencial a la supervivencia, y esto es el reparto del afecto, del cariño de sus padres. Se localiza una fuerte captación del cariño de la madre, por ser el objeto amoroso más importante de los hijos: los niños tratan fundamentalmente de acaparar todo el amor y el cariño de la madre. Dijéramos que éste es el tesoro sobre el que los hermanos disputan. La posesión única y total de este preciado bien lleva consigo una lucha entre rivales.

Los hermanos pueden llegar a rivalizar por el reparto de los afectos.

La niña o el niño que tiene un hermano experimenta que ese tesoro afectivo, antes poseído sólo por él, ahora debe ser compartido. Y el niño, al nacer, aprende lo importante que resulta poseerlo e intentará centralizarlo sobre sí, rivalizando también con el mayor o, luego, con el otro más pequeño. En el fondo, podemos observar que la rivalidad fraterna trata de un conflicto del reparto de cariño del padre o la madre.

Lo aquí tratado es un tema universal que se hunde en las entrañas de la humanidad. Es la cuestión de la ambivalencia entre el amor y el odio. Los celos entre hermanos no dejan de ser una expresión de las emociones más primarias. Esta misma fenomenología sentimental está presente en los enamoramientos adolescentes, o en los celos generales de los adultos. Los hermanos se hacen rivales y luchan por la posesión del afecto. Se genera en las interioridades de la personalidad un mundo de violencia y tensión que da lugar a una intensa angustia, lo que genera, a su vez, un conflicto fácilmente exteriorizado en conductas desadaptadas. Suelen ser esas conductas que muchos padres observan en sus hijos con gran preocupación: pelusas, regresiones, mimos, agresiones, peleas, inadaptaciones, inapetencias, hirperactividad... son síntomas de ese conflicto psicológico interno denominado *«Celos entre hermanos»*.

Celos entre hermanos

La propia rivalidad que se establece entre hermanos por lograr la totalidad del cariño de sus padres, y el sentido de lucha psicológica por la *«eliminación»* del rival, producen en los niños también una fuerte culpabilidad, lo cual hace del tema realmente un problema o un conflicto que los padres buscan a toda costa resolver, sobre todo cuando es muy acusado. El niño se comporta mal, hace que todo el mundo esté pendiente de él o de ella. Pero si nos quedásemos simplemente con esta descripción psicológica del fenómeno analizado, sería algo catastrofista, pues este conflicto puede ser resuelto en un sentido positivo.

> Llegar a vivir positivamente el hecho de tener un hermano es el fin de la rivalidad y los celos.

Siempre se soluciona cuando el niño da un paso hacia la ACEPTACIÓN del otro. Es decir, hacia la aceptación de su hermano o hermana, y aprende que compartir el cariño de los padres es también una fuente de placer y motivación. Si esta aceptación es recíproca entre los diversos miembros iguales de la familia, el conflicto familiar termina y se da una dinámica de socialización entre iguales satisfactoria para el desarrollo y la maduración de la personalidad.

El problema permanece mientras no se dé este fenómeno de socialización entre iguales. Mientras sus miembros iguales no se acepten, no compartan, se establecerá como norma el fenómeno del conflicto, la angustia y las conductas inadecuadas. La no aceptación del hermano, o de la hermana, es muchas veces verbalizado por los niños, otras veces se manifiesta en agresiones directas y claras.

También se visualiza la aceptación con cariño y verbalizaciones. La aceptación del hermano debe ser interna y profunda. Muchos niños manifiestan grandes contradicciones entre lo que expresan y hacen: *«Te quiero mucho»*, dicen mientras agreden al otro.

Está muy claro que la rivalidad y los celos entre hermanos es un tema de socialización, y más que de fenómeno debemos hablar de proceso de aceptación del otro.

Madurar a nuestros hijos

Los padres deben educar a sus hijos en la idea de la amistad y el compañerismo, y hacer sentir lo positivo que resulta. Ningún hecho familiar puede ser tan propicio para la intervención educativa de los padres que la de constituir un medio familiar compuesto por varios hijos. Todos sus miembros van a aprender necesariamente a compartir. La equidad en el reparto del tiempo de dedicación a los hijos es un mecanismo que lleva a sus miembros hacia la independencia y la descentralización de las relaciones demasiado cerradas entre sus miembros. Los pequeños aprenden de los mayores, los mayores regulan su comportamiento a través de la aceptación.

Toda persona, niño o niña, por tanto, que tiene un hermano, sufre un efecto psicológico y social que puede tener connotaciones de índole positiva o negativa. Puede ser más visible su efecto psicológico, o invisible, pero indudablemente siempre existe en la persona que recibe en la familia a otro nuevo ser una influencia psicológica y social. Esta influencia por supuesto está también en los padres, pero es de una naturaleza diferente a la que se produce en los hijos.

Los efectos psicológicos y sociales entre los hermanos dependen de muchos factores: la edad de cada uno de ellos, por ejemplo, influye en la dinámica familiar.

> Los niños viven el tener un hermano de muy diferentes formas, pero nunca son indiferentes (aunque lo parezca).

Para algunos estudiosos el origen de la rivalidad se fundamenta en el deseo profundo que tiene el niño o la niña en poseer exclusivamente a la madre, como ya explicáramos. La existencia del hermano o la hermana conduce muchas veces a la frustración y genera envidia. Es variable el efecto que producen estas tendencias posesivas en los niños.

Los resultados positivos al efecto de la rivalidad fraterna también dependen del tipo de actitud que adopte la madre hacia sus hijos. Pueden amortiguarlos o acentuarlos.

Según esta posición, el tema de la rivalidad es algo que atañe al reparto del amor de la madre hacia sus hijos. Cada hijo desea recibir en exclusiva todo el amor de la madre, o el máximo posible. Justo esta actitud profunda de los hijos es lo que determina el conflicto de la rivalidad. Aunque el reparto sea equitativo, los hijos tienden a querer poseerlo en exclusiva. Educar esa tendencia egoísta es la mejor intervención que podemos hacer.

Aun cuando las madres tiendan a ser muy justas, y lo sean, los hijos pueden no escapar al sentido negativo de la rivalidad. Se demuestra que las madres excesivamente pendientes de estos problemas logran agravar la situación de la rivalidad entre sus hijos.

El complejo de Edipo y el de Electra

Fenómeno psicológico descubierto por Freud en la primera mitad del siglo XX, que se caracteriza por la atracción amorosa que el niño varón siente hacia su madre y la actitud competitiva y de rivalidad que experimenta frente al padre. El padre se constituye como un modelo al que hay que imitar y la madre es su objeto amoroso. Con las niñas sucede lo contrario, su actitud es de rivalidad frente a la madre y de atracción amorosa hacia el padre, denominándose por el mismo autor con el nombre de *«Complejo de Electra»*.

No esté excesivamente pendiente de la rivalidad, pues puede agravarla.

¿Por qué es la rivalidad entre hermanos un proceso eminentemente social a la vez que psicológico? Esto es muy importante considerarlo así por parte de los padres, que en muchos casos están ansiosos por los efectos que un nuevo niño produce en su hogar. Esta misma ansiedad ejerce en muchos casos su influencia negativa para la solución de tensiones psicológicas.

En principio, la rivalidad fraterna es en sí un fenómeno psicológico, pero también un proceso de socialización que realizan los hermanos entre sí y los padres con sus hijos. La rivalidad fraterna puede comenzar incluso antes del nacimiento de un nuevo hijo. Pero evidentemente se produce cuando se experimenta en la realidad familiar día a día la presencia de un nuevo ser con el que compartir nuestras vidas, y esta situación marca un proceso y una dinámica social que no termina jamás, en el sentido de que se tiene un hermano o un hijo para toda la vida.

Lo que cambia del fenómeno de la *«rivalidad fraterna»* es su signo, el sentido de la aceptación del otro, la adaptación positiva de la convivencia, el amor, el olvido de uno mismo. O puede no cambiar nunca el carácter negativo. En resumidas cuentas la rivalidad fraterna no constituye una *«enfermedad»*, o una *«dolencia»* psicológica, resulta un proceso temporal de aceptación del otro. Por tanto, también es un proceso de implicaciones educativas de socialización imbricado en el entorno familiar.

> La superación de la rivalidad se produce cuando se acepta al otro.

La existencia de la rivalidad y los celos entre hermanos necesita para ser superada el conocimiento, el saber relacionarse, el saber superar problemas que establecen las relaciones humanas en la familia y así poder, de alguna manera, inmunizarse contra la tensión de otros procesos de socialización externos a la familia.

Superar la rivalidad

La competencia social es un fenómeno siempre presente en nuestra cultura. La rivalidad entre hermanos es su primera y más antigua expresión.

Todo estos procesos sociales que se inician con la rivalidad fraterna pueden ser dirigidos, en alguna medida, mediante el influjo educativo que parte de los padres.

En el ambiente familiar siempre debe preponderar el principio de la justicia y la equidad, del arbitraje sereno en los conflictos establecidos en las luchas rivales.

Enseñar a nuestro hijo que a veces debe renunciar a sí mismo es un valor educativo superior, resulta un objetivo familiar loable y, a veces, muy poco estimulado. Esto es lo que significa la superación de la rivalidad: negación de uno mismo. La hostilidad es una experiencia indeseable y de bajo valor, generadora de angustia y malestar. Los padres deben dar pasos positivos y enseñar a los hermanos a ser amigos y colaboradores.

Los padres no pueden perder su tiempo considerando la rivalidad fraterna como un *«mal»*, mayor o menor, cuando éste se expresa con agresividad por parte de los hijos; es un conflicto en la lucha social de adaptación.

La rivalidad, por sus efectos, no deja de ser un incordio del ambiente familiar o una gran preocupación generadora de angustias.

La rivalidad fraterna es un tema de educación en el medio familiar. Un tema que no es sencillo abordar por su sutileza y dificultad difusa, poco clara.

La rivalidad entre hermanos es un proceso social que toca las entrañas de la educación íntima y personal de los hijos con sus hermanos y padres.

Debe preponderar, poco a poco, el amor, que es más importante que el odio. Los hijos deben ver en los padres los ejemplos que ellos mismos propugnan, de tal modo que cuando sean moderadores de los conflictos de sus hijos, las normas y los límites que se fijen para las conductas se tornen obligatorias en la convivencia diaria.

La solución de la rivalidad entre hermanos pasa necesariamente por una solución más global de todo el ambiente familiar. Los padres no pueden pedir a los hijos aquellas cosas que no ha superado la pareja, por ejemplo. Muchos padres que no ven efectos visibles externos de la rivalidad fraterna entre sus hijos creen que no existe el fenómeno ni el proceso. Evidentemente, esto no es así; todo el medio familiar recibe un influjo cuando nace un niño y se mantiene en un proceso de socialización. Sucede que los efectos pueden quedarse en el interior de la persona, y tornarse de inmediato positivos.

> Los celos y la rivalidad es algo que puede durar toda la vida.

Entre los hermanos, la rivalidad fraterna como fenómeno psíquico, deber ser siempre elaborada en el interior de sí mismo, pudiendo suceder multitud de situaciones diversas.

La aceptación o no aceptación del otro

El niño rápidamente transforma la rivalidad en una situación positiva: tener un hermano es bueno; ser mayor es gratificante; lo protejo, lo quiero, lo cuido..., y socialmente el proceso no tiene efecto porque psíquicamente hay una elaboración positiva de ACEPTACIÓN DEL OTRO.

No sucede así cuando la rivalidad se torna un problema de NO ACEPTACIÓN DEL OTRO: tener un hermano no es bueno porque mi mamá y mi papá están con él y no conmigo, me quita mis cosas, no me deja ser el único de mi casa, y socialmente el proceso se torna en una LUCHA CONTRA EL OTRO.

En este último caso precisamente la rivalidad se transforma en algo negativo, en un proceso social cuya elaboración interna psicológica es negativa. Aparecen los conflictos familiares. La angustia de los padres. El no saber qué hacer. Muchas veces la rivalidad fraterna es un eterno conflicto que cruza la vida de las personas desde la niñez hasta la adolescencia o juventud, y existen casos que logran alcanzar la totalidad de la existencia personal.

El único camino de solución de la rivalidad en la adolescencia es pasar por un cambio de actitud.

La rivalidad fraterna en la adolescencia

La rivalidad fraterna puede perpetuarse desde la infancia como un conflicto sin solución. Es muy frecuente ver a hermanos, adolescentes opuestos, en unas luchas fraternas que impregnan el ambiente familiar de malestar: *«Siempre lo hago yo...», «Qué cara dura tienes...», «No te soporto...»,* son expresiones corrientes entre rivales adolescentes, cuando el conflicto verbal no es más intenso, agudo y desagradable, o incluso escenas peores.

En toda situación de conflicto permanente entre hermanos adolescentes hay que pensar en un enquistamiento del fenómeno de la rivalidad fraterna descrita como un conflicto característico de la niñez.

Desde luego, en los casos en los que la conflictividad es muy intensa aconsejamos un tratamiento terapéutico familiar que reorganice el ambiente y el clima de todos los miembros. Pues, a lo largo de los años, se habrá aprendido una cantidad ingente de malos hábitos en la relación familiar.

Costumbres y normas que hacen que las situaciones de crispación aparezcan continuamente. También es de temer, cuando existen entre hermanos grandes problemas, que esto mismo salpique al conjunto de la familia. Por lo que la reeducación familiar debe ser entendida en su conjunto.

Habría que analizar, en el mundo de los adolescentes, el motivo del enquistamiento de la lucha entre rivales. Ver qué valores educativos y sociales han preponderado en el medio familiar.

> La conflictividad en el ambiente familiar pudiera apoyar otras desadaptaciones sociales en los adolescentes.

Imaginemos a dos hermanos que durante toda su vida, hasta la adolescencia, han tenido a unos padres que han valorado positiva y negativamente a uno frente al otro. La conflictividad estaría resuelta cuando esos padres reorganizasen sus propios valores educativos negativos proyectados en sus hijos.

A veces, sucede que esa tensión rival pertenece a los propios hijos, siendo los padres los que con su equidad positiva no logran su objetivo. Aquí debe situarse el cambio de actitud interna de los adolescentes y sus intereses deben ser de alguna manera modificados, para que sus conductas cambien al mismo tiempo.

Está muy claro que cuando la lucha entre rivales se alarga en el tiempo el problema de socialización es más grave. Es más difícil la solución por la generación de los malos hábitos establecidos.

A veces, los cambios de actitud son muy difíciles de lograr. La ayuda externa a la propia familia puede ser, en estos casos, vital. La nube de tensión que genera el mundo de la rivalidad fraterna adolescente es la causa muchas veces de que la conflictividad trascienda el propio medio familiar, y llegue hasta otras situaciones o contextos sociales. Puede ser causa de fracaso escolar, de búsqueda de compensaciones psicológicas positivas hacia otros ámbitos.

> En la rivalidad hay que controlar el egocentrismo.

En esa búsqueda de compensaciones externas a la familia pueden llegar el alcohol, las drogas u otras cuestiones altamente negativas, o el propio conflicto permanente puede llevar al adolescente al encierro en sí mismo, a los problemas de adaptación social o de la personalidad.

Esto, en los casos más graves de conflictividad localizada en el medio familiar, a causa de la lucha entre rivales irreconciliables.

Desde las consecuencias que puede llegar a tener la rivalidad fraterna aconsejamos siempre el intento de solución durante la infancia, por la intervención de una política educativa familiar positiva, equilibrada, llena de valores.

Los hermanos deben llegar a aceptarse por propio convencimiento o por el influjo externo. Los padres pueden ser la clave a la salida de estos laberintos, muchas veces de muy difícil solución.

Existen ciertas formas de rivalidad fraterna en los adolescentes que, aunque son generadoras de una conflictividad, no pertenecen al ámbito de lo patológico. Si la renovación del adolescente es permanente, en estos casos es de esperar que sean superados los problemas que afectan al clima y ambiente normal de la familia.

Orientación y consejo

¿Qué consejo daríamos a unos padres preocupados por esta temática? ¿A aquéllos que lo ven entre sus hijos pequeños? ¿A aquéllos otros que lo observan en la adolescencia? ¿Qué papel juegan los padres en el proceso? ¿Realmente son los padres los que deben hacer algo por evitar los efectos negativos de la rivalidad fraterna?

> Educar en el valor de la entrega al otro es un camino de socialización de eres superiores.

La rivalidad fraterna no es un tema en el que podamos intervenir necesariamente de un modo mágico, realizando, o dando algo, a nuestros hijos que los *«cure»*, porque la solución innegablemente pasa por un proceso educativo más o menos largo en el tiempo, por un proceso mental de cambio de actitud hacia el otro, aunque los niños sean muy pequeños.

Hay que cambiar al mismo tiempo el comportamiento desadaptado. La solución pasa, fundamentalmente, por iniciar con nuestros hijos un proceso sutil de educación.

Lo que se educa frente al hermano es la eliminación del egocentrismo, tan implantado en la biología de nuestra especie. La de observar y experimentar que es más importante compartir que competir por las cosas, y principalmente en lo fundamental: el cariño y la atención de nuestros padres.

Educar en los valores

Como vemos, la rivalidad fraterna se torna un tema para EDUCAR EN LOS VALORES, y estos valores afectan a los niños desde que son muy pequeños.

Un niño pequeño debe vivir un valor esencial en la renuncia de sí mismo cuando da a su hermano más pequeño su juguete más querido, y el padre valora, refuerza, motiva y alaba dichos actos. Cuando un niño no puede renunciar a su egocentrismo no debemos ir contra él sino comunicarle las grandes ventajas que a veces tiene la renuncia.

Realmente, quizá, nuestro norte como padre sea educar a nuestros hijos en el AMOR, y es en esta esencia donde se evapora la tensión y el conflicto de la RIVALIDAD, que se establece por ley natural entre los hermanos.

La rivalidad fraterna es sólo una de las dimensiones de la problemática de la familia.

Educar en el AMOR lleva tiempo, y es a veces difícil porque genera en los propios padres la necesidad perentoria del ejemplo; por tanto, debe existir en cualquier parte de la familia unos modelos en los que los niños se apoyarán para superar su propio egocentrismo.

Si no hay modelos de referencia externa en el ambiente familiar, la rivalidad fraterna puede empeorar, o permanecer sin solución. No es fácil convencer a los padres de que la rivalidad fraterna es sólo un proceso de socialización y un tema de aceptación del otro.

Diversas situaciones en la familia

La dinámica familiar tiene muchas perspectivas o dimensiones, como venimos viendo. Por ejemplo, la dimensión de la pareja; otra podría ser la dimensión de ser padre como función, otra puede ser la relación entre los iguales.

> Hay que lograr armonizar todos los temas de la familia.

Dentro de la relación entre iguales existe el fenómeno de la diferencia de edades. En ningún otro medio social se da la convivencia entre tantas cronologías diferentes como en la familia. Aquí es mucha la heterogeneidad entre personas, incluidos abuelos cuando conviven bajo el mismo techo familiar. Ser el primogénito establece una dinámica diferente a si eres el segundo, el tercero o el benjamín de la familia.

El primogénito suele sufrir la *«tragedia»* del príncipe destronado. El segundo la del *efecto del bocadillo,* que genera la actitud intermedia de la diplomacia cuando también hay un tercero. Y el benjamín posee también sus características ya que muchas veces, al ser el más pequeño, se le hiperprotege.

Según la situación que ocupemos en la familia, en cuanto al momento de nacer, imprime un condicionante que se traduce en característica de la personalidad de rasgo, o en rasgos del carácter. Eso cuando consideramos el orden de nacimiento, y está demostrado que imprime rasgos de carácter en la personalidad humana, pero si tenemos presentes otros condicionantes como puedan ser los gustos por las cosas, la propia ideología, los hábitos generales. El conjunto de condicionantes establece sobre la convivencia de la familia la dinámica personal de cada una de ellas. Esta dificultad de encajar la multitud de características de cada miembro en términos de relaciones es lo que hace dificultoso resolver un conflicto como el de la rivalidad fraterna.

Las familias numerosas son equilibradoras de sus hijos.

Armonizar todas las tendencias, todos los fenómenos que aparecen en la familia, es un tema muy complejo; por eso a veces los padres se sienten desalentados cuando pretenden cumplir con un ideal educativo. Tener información sobre estas cosas constituye el comienzo de la solución de los problemas.

La rivalidad entre hermanos tiene sólo una solución posible, y ésta pasa por que los hermanos se acepten entre sí como miembros iguales, y sólo en este caso saben que obtienen todo el cariño de sus padres. Si existiesen otros modos de compensación aparecerían los conflictos y los problemas en el medio familiar.

Actúe de una manera distendida, sin mostrar ansiedad; piense que estas cosas son normales.

No menos importante que este proceso de aceptación es la actitud de los padres. Deben ser muy sensibles a no realizar comentarios inapropiados, o sumar a una situación de celos otras circunstancias que lo agraven. Por ejemplo, separar al niño mayor de los padres, hacer coincidir eventos que empeoren o hagan sentirse al niño más desplazado, o sensación de ser olvidado, etc.

Aun cuando los padres deben ser muy sensibles y cuidadosos con el trato hacia sus hijos, también resulta fundamental que no sean obsesivos en sus comportamientos.

El psiquiatra infantil Ajuariaguerra expresa la idea, en sus estudios, de que son los padres de las familias numerosas los que actúan muchas veces del modo más equilibrado con relación al trato que dan a sus hijos.

Naturalmente es así porque la ansiedad proyectada, que se genera por parte de los padres hacia sus hijos, queda, de alguna manera, más relegada, menos concentrada que cuando tienen sólo uno o dos hijos.

Esto nos indica, claramente, que los padres deben actuar distendida y naturalmente ante los problemas que acontecen en su familia, controlando la ansiedad que producen para no incrementar los efectos negativos.

Algunos consejos coherentes

1. La rivalidad fraterna no es un problema en sí mismo sino que, como venimos analizando, es un tema de educación social.

2. Los hermanos estimulan los aprendizajes y debemos potenciar la colaboración.

3. Los hermanos aprenden, en el seno familiar, cómo comportarse en el mundo social de los iguales. La

familia es un pequeño *«laboratorio»* de las primeras experiencias sociales.

4. La rivalidad fraterna permite a la familia educar actitudes de amor y cariño frente a la agresividad y el odio. Los padres deben proponerse metas y objetivos.

5. En la familia todos debemos asumir al recién nacido en términos de aceptación.

6. La ambigüedad de los sentimientos entre los hermanos mayores debe encauzarse hacia situaciones de aceptación positiva.

7. No realice ningún comentario de comparación entre los hermanos, en el sentido de valorar lo mejor o lo peor, lo más bueno o lo más malo de cada uno. Cada cual es como es, y todos llevamos dentro de nosotros lo *«bueno»* y lo *«malo»*. La personalidad humana es única, diferencial, pero todas muy respetables.

8. Saber aceptar dentro de la familia al otro es una de las claves de la resolución de la rivalidad. Todo padre debe lograr de sus hijos una valoración objetiva y justa de las cualidades e intentar, de modo equilibrado, reeducar aquellas actitudes que constituyan aspectos negativos. Hay que valorar lo positivo para generar una buena autoestima en nuestros hijos. Deben sentir que los queremos.

9. Haga participar a su hijo mayor en el máximo de tareas posibles con relación a las responsabilidades hogareñas.

10. Preste atención a cómo reacciona su hijo ante el hermano o la hermana. Deje que se exprese con usted sobre ello, del modo en que pueda. Elogie lo importante que es ser mayor. Pero no sea imprudente al consentirle todas las cosas o reforzar conductas inadecuadas, ahí es donde está la sabiduría de ser padres y educadores al mismo tiempo.

    > Estar muy ansiosos por todo lo que acontece alrededor de nuestros hijos puede llegar a perjudicarles.

11. No debemos negar el amor visible al más pequeño. Debemos globalizarlo y que se acepte el reparto del cariño de los padres. Hay que dar tiempo al tiempo.

12. Todo en el fondo trata de saber asumir unas reglas de convivencia y aceptación entre iguales. Saber asumir el valor de compartir cosas, cariño, cuidados...

13. Considere normal que su hijo *«destronado»* intente por todos los medios acaparar el cariño de sus padres. Su obligación es educar poco a poco ese impulso.

14. Unos padres que logran controlar la angustia sobre estos temas tienen más probabilidades de ayudar

eficazmente a sus hijos, pues no proyectarán sobre ellos sus dudas e inquietudes. Se debe dar pequeñas compensaciones para que el mayor logre suavizar los celos.

La rivalidad fraterna es producto del miedo que los seres humanos tenemos a la soledad y el desamparo. Ese miedo es lo que lleva a los niños a la lucha por el cariño y las llamadas de atención de sus mayores. La rivalidad entre hermanos puede entrar en una fase de *«lucha por el poder»* y traducirse en un *«yo quiero mandar sobre ti»*. Los padres deben educar día a día este impulso (riñas, cabezonerías, palabrotas, chantajes, sobornos, burlas).

15. Los padres deben lograr, a la larga, un cambio muy importante en la relación entre sus hijos. La rivalidad se debe tornar alianza. Cuando los hermanos son aliados, cada miembro de la familia ha encontrado su puesto en el hogar. El juego entre los hermanos fomenta esta alianza entre los miembros iguales de una familia.

16. El modo en que se resuelva, durante la infancia, el hecho de la rivalidad determina el tipo de relación que posiblemente tendrán los hermanos durante la adolescencia. Pero no vea en las conductas que produce la rivalidad entre hermanos algo que pueda llevarle a una situación sin vías de solución. Todo tiene solución, debemos ser pacientes.

La rivalidad fraterna es una buena excusa para educar a nuestros hijos en la tolerancia y la distensión.

17. Los padres que están excesivamente preocupados por el tema de la rivalidad entre sus hijos suelen agravar con ello el efecto. Lo mejor es tomárselo con cierta despreocupación.

18. Los padres no deben fomentar el apego excesivo hacia sus hijos, proyectando en ello sus propias ansiedades y carencias.
    Quien proyecta así su personalidad de padre genera un fuerte conflicto en sus hijos. ¡No al apego excesivo! Nuestras insatisfacciones se proyectan, y eso no es adecuado.

Ideas importantes

Los celos entre hermanos es un fenómeno muy extendido en nuestra cultura. Al tener un hermano o una hermana, los niños experimentan el inicio de un fenómeno psicológico y de un proceso de socialización, produciéndose reacciones hacia el exterior (en el ambiente familiar o social) y hacia el interior (en el psiquismo).

En el seno familiar, con los celos entre hermanos, se inicia una gran *«disputa»* por el reparto de los afectos, del cariño de los padres, principalmente del de la madre.

La intención de poseer de modo exclusivo el amor de los padres origina una *«lucha entre rivales»*. La rivalidad fraterna, pues, se establece como un conflicto del reparto del cariño de los padres.

No es que los padres no sean equitativos y justos con sus hijos, sino que los hijos pueden reaccionar de modo posesivo y egocéntrico con relación a los afectos que les brindan los padres.

Todo ello es un episodio de los sentimientos humanos, de la ambivalencia entre el amor y el odio. Hay niños en los que este fenómeno de la rivalidad fraterna apenas si tiene expresión negativa, dándose una elaboración socializada positiva, y de maduración interna del niño o la niña.

> La aceptación del otro es la clave de la solución de la rivalidad.
> La rivalidad fraterna es un tema para educar a los hijos, y los principios que solucionan esta cuestión pueden ser aplicados a otras situaciones.

Por el contrario, también puede tener una expresión negativa que genera en el interior del niño una intensa angustia, un conflicto interno, que se exterioriza en conductas desadaptadas dentro de la familia o en otros entornos sociales.

Este conflicto tiene una única solución: LA ACEPTACIÓN DEL OTRO, del hermano o de la hermana.

Los hermanos deben aprender a compartir el cariño de sus padres. Aprender a compartir es un valor humano que se debe enseñar en familia. Por tanto, el tema de la rivalidad fraterna es una cuestión de educación, de socialización entre iguales. Se trata de educar en el AMOR, la tolerancia, la aceptación y la entrega entre los miembros de la familia.

Si entre los iguales (hermanos) no se aprende a compartir, el conflicto de la rivalidad permanecerá sin solución hasta la adolescencia e incluso hasta la madurez.

¿De qué depende esa transformación? Depende del cambio de actitud personal. Las relaciones demasiado cerradas entre padres e hijos no son buenas. Ni la selectividad discriminatoria entre sus miembros. Hay que estar siempre pendientes en demostrar lo positivo que resulta compartir. Saber compartir es la clave al problema de la rivalidad entre hermanos.

> La timidez se puede utilizar como reto de superación personal; en tal caso es positiva.

Hay que enseñar este valor con normalidad, con ejemplos continuados, sin ansiedad, naturalizando y no estando excesivamente pendientes del tema. Los niños en su proceso de socialización familiar llegan a darse cuenta de este valor, y producen automáticamente el cambio de actitud personal y de intereses familiares.

Los hermanos se hacen amigos, colaboradores. ¡Éste es el objetivo a corto, medio y largo plazo!

El niño o la niña, que ven a un hermano como bueno, gratificante, alguien a quien se protege, se quiere y se cuida, implica un proceso de maduración en lo social y en lo personal, aun cuando sea muy pequeño o pequeña.

Si no lo vive así, tendremos, con paciencia, que ir poniendo los medios para que algún día lo sea, y ésta es la clave de esta cuestión tan sutil y delicada, que a veces se torna de enorme preocupación para los padres cuando aparecen cuadros de conductas negativas en los hijos

La timidez en los hijos

La timidez leve nos puede llevar al éxito. Ser tímido no tiene ninguna importancia cuando no afecta al comportamiento de una manera acusada: normalmente, la

EL NIÑO, EL JUEGO Y EL JUGUETE

Las desiertas abarcas (M. Hernández) *«Por el cinco de enero,/cada enero ponía/mi calzado cabrero/a la ventana fría. Y encontraba los días/que derriban las puertas,/mis abarcas vacías,/ mis abarcas desiertas.»...*

El juego es más que la simplicidad material del juguete; el juego como concepto pertenece al mundo de lo mental. El niño es el centro de lo mental (juego) y de la administración de lo material (juguete).

Si atiborramos a nuestros hijos, a cualquier edad, de juguetes y cosas estamos justo dando fundamentalmente énfasis a lo material. Educamos así en el valor de las cosas, en el aspecto de lo posesivo. Los niños juegan la mayoría de las veces sin juguetes. Juegan al mundo de lo imaginario, de lo fantasioso, de lo irreal, justo donde más valores permanentes sacan como personas. Eso les proyecta hacia el futuro, donde la construcción interior resulta más fundamental. Pero esa construcción interior no puede existir de modo equilibrado sin esa referencia a la materialidad del juguete ...*«Nunca tuve zapatos,/ni trajes, ni palabras:/siempre tuve regatos,/ siempre penas y cabras./Me vistió la pobreza,/me lamió el cuerpo el río,/ y de pie a la cabeza/ pasto fui del rocío.»...*

Hay expertos, como por ejemplo Bandet, que dicen que el juego es la actividad primera de los hombres. El juego lleva a los niños al descubrimiento sorprendente de lo que le rodea. Por ejemplo, a entender la funcionalidad de las cosas. Si el niño está rodeado de mecanicidad, electricidad y electrónica, quizá estemos apuntando hacia un mundo *«mecanicista»*. Lógicamente, nuestros adolescentes, luego, valorarán en demasía todas aquellas cosas de la mecanicidad frente a las de humanidad. Si en la actividad primera de los hombres, el juego y el juguete introducen la creatividad maravillosa de la inmaterialidad, el amor a los valores inherentes, eternos y sutiles, profundos, quizá con ello no naveguen nuestros futuros adolescentes en astronaves hacia las remotas estrellas, pero disfrutarán del universo inmaterial de *"El principito"*, de Antoine Saint Exupéry, sobre el valor de un pequeño volcán lleno de hollín, y de una presuntuosa rosa equipada con una espina molesta.

Ninguna tarea educativa es más profunda que el juego: ni al nacer, ni al crecer, ni al morir. Si el juego y el juguete son tan profundamente educativos, la responsabilidad de los padres en este asunto es esencial y primordial. Todo se nos llena de juguetes en Navidad. Nos viene dado por nuestra cultura comercial y competitiva: la publicidad. Los juguetes, y las cosas, se dibujan en nuestros ojos y penetran más allá de nuestras mentes. Los adultos, jóvenes y niños recibimos un tremendo impacto ambiental. Hacen de nuestros hijos guerreros feroces, machistas o feministas profundamente parciales que, luego, se desdibujan con rasgos en la adolescencia. Hacen, y hacemos, de nuestros hijos muchas cosas. Dice Piaget que, los niños a través del juego y los juguetes asimilan el mundo y forman con ello su inteligencia, pues les permite la representación del mundo en su mente.

Para el psiquiatra Freud el juego es la realización del deseo. ¿Qué realizaciones son las que hacemos que nuestros hijos deseen? *«Por el cinco de enero,/para el seis yo quería/que fuera el mundo entero/una juguetería./Y al andar la alborada/ removiendo las huertas,/mis abarcas sin nada,/mis abarcas desiertas.»*

¡Qué importante es el juego! dicen que tiene valor de función; permite al niño socializarse; desarrolla la capacidad para el descubrimiento; hace que se ejerciten las capacidades intelectuales; que el niño asimile la realidad que le rodea; aprenda a simbolizar... ¡Qué importante es el juego! A través de él el niño llega al mundo y adopta una actitud determinada. A través del juego el niño genera su conducta hacia el entorno y construye su futuro. El juguete soporta al juego que ayuda a la exploración del entorno. ¿No tenemos mucha responsabilidad cuando regalamos y jugamos con nuestros hijos?

Analice en el silencio de los rayos catódicos televisivos la propaganda: ¿qué se esconde detrás de cada juguete? ¿qué actitud y comportamiento? Elija usted para su hijo aquello que más densifique su experiencia. Dicen que el jueguete es exploración de los objetos y de las cosas, pero también es aprendizaje de *roles,* de comportamientos y de actitudes.

...«Ningún rey coronado/tuvo pie, tuvo gana/para ver el calzado de mi pobre ventana./Toda gente de trono,/toda gente de botas/se rió con encono/de mis abarcas rotas./Rabié de llanto, hasta/ cubrir de sal mi piel,/por un mundo de pasta y unos hombres de miel.»

El juego y el juguete son la forma de exploración más impresionante que existe en la naturaleza humana. Permite entrar al niño en la esencia de la vida, aunque esta aproximación sea simbólica, imaginativa, de dimensión mental. Construye la base de la personalidad que se proyecta hasta la adolescencia. Los padres deben saber poner a disposición del niño los elementos básicos que permiten enriquecer estas funciones básicas. Con los juguetes, el niño explora diversidad de temas relacionados con la vida real. El niño participa así de la cultura de los hombres.

Cada juguete y juego orienta al niño a determinados temas. Su elección se debe basar en el uso que el niño hará de él. Debemos tener presente el momento evolutivo en el que el niño está. Debemos valorar del juguete las capacidades que desarrolla en nuestro hijo; la afectividad que mueve; las actitudes que aprende; los comportamientos que desarrolla.

Los juguetes deben interesar y motivar al niño. Deben ser simples en su mecanicidad y ricos en complejidad mental, social y comunicativa. Dice Huizingan que *«la civilización se inicia y viene a ser un juego».* El juego es descarga de tensión, es socialización, es encuentro, es lenguaje, es afectividad, es aprendizaje.

El juego desarrolla la personalidad integral del niño. También ciertos criterios de los descritos pueden ser aplicables para la elección del regalo del adolescente. *...«Por el cinco de enero/de la majada mía/mi calzado cabrero/a la escarcha salía./ Y hacia el seis, mis miradas hallaban en sus puertas/mis abarcas heladas/mis abarcas desiertas».*

CONSEJOS COHERENTES

1. Observe en qué momento evolutivo se encuentra su hijo. Compre juguetes o regalos educativos ya estudiados desde el punto de vista de su dimensión cognitiva, social y afectiva. No compre aquéllos que estén en la personalidad del niño, o la niña, o del adolescente, que usted fue. Logre evaluar los criterios que le permitan obtener el juguete o el regalo más idóneo para su hijo. Debe tener en cuenta lo que a él le motiva y gusta, y no lo que le agrada a usted.

2. No llene la vida de su hijo con numerosos juguetes. Los niños son austeros por naturaleza. Aprecian más sus propios juegos y juguetes. Los excesos enturbian la discriminación, enloquecen la atención, dispersan la actividad, no educan.

3. Sea coherente con usted mismo y con sus hijos. Los juguetes y las cosas nunca son neutros, cada uno de ellos introduce algo en el universo de la infancia, la niñez y la adolescencia. Sea crítico con la publicidad. Analice aquello que le ofrecen. Usted es un guía para su hijo. Su hijo depende de usted, también en sus juegos y sus juguetes, en sus regalos.

J.G.R.

timidez es una expresión de la personalidad muy común.

Es durante la niñez y la adolescencia cuando la timidez tiene un carácter más singular, aunque el efecto sobre la personalidad pueda persistir durante toda la vida.

Los seres humanos somos, en alguna medida, tímidos; sucede así porque tomamos conciencia de nosotros mismos y de los demás. Esa toma de conciencia la valoramos en forma emotivo-afectiva, y de ahí surge una autoestima, o valor sobre nosotros mismos frente a los otros.

La timidez en nuestros hijos

Los niños singularizan su ser en el mundo a través de un mayor grado de conciencia sobre dónde están, quién es él o ella y quiénes son los demás.

> La timidez es buena cuando hace que la persona se supere a sí misma.

Los adolescentes toman las relaciones sociales como algo de una enorme importancia. Los demás son esenciales (fundamentalmente los iguales); se comparan; sienten lo importantes o no que son para el otro; viven su personalidad con un valor de autoestima. Esos gestos psicológicos forman la timidez.

La timidez es algo que tiene sentido frente al otro. Esa percepción social valorativa que hemos descrito antes genera una tensión psicológica en el individuo, por la cual produce una gran cantidad de comportamientos diversos.

Eso es la timidez: una tensión psicológica frente a los demás. Esta definición es válida para cualquier edad.

Si la timidez es leve, ayuda a superarnos a nosotros mismos; es decir, cuando nuestros hijos sienten esa tensión psicológica y, para superarla, gestionan acciones positivas frente a los demás, nuestros hijos se dan cuenta de que la timidez puede superarse. Por ejemplo, a usted le puede costar relacionarse con los demás, y para vencer esta dificultad procura hacerlo más intensamente; esa forma de enfrentamiento graduado, suave, poco a poco, es buena para vencer la timidez, porque le entrena para la vida.

Si la timidez se define frente a un cierto «miedo» social, exponerse de modo gradual a él puede hacer que se venza.

La timidez mala (negativa) es la que paraliza, hace al individuo poco eficaz, nos frena en nuestras relaciones, nos encierra en nuestra individualidad. Es patológica cuando le sucede al adulto, pero no es tan significativa de anormalidad si se da en un niño o en un adolescente.

A los niños, cuando sienten esas «*paralizaciones*», hay que ir ayudándoles con suavidad a salir de esas situaciones.

Si nuestro hijo tiene miedo al ridículo: cuando el temor al ridículo paraliza a la persona (rubor, palpitaciones, paralización, bloqueo, sudación, ineficacia, ridículo real), estamos ante un niño, o un joven, al que debemos ayudar, sin darle mayor importancia. Es muy frecuente ver en los niños manifestaciones de temores muy pronunciados de ese tipo: lloros, nerviosismo ante contextos sociales o escolares..., y, ¡no pasa nada!, hay que trabajar la socialización y nada más.

Si el temor al ridículo es leve y me lleva a perfeccionarme en algo, a ser más exitoso, la timidez se transforma en un acicate, en un factor de éxito, y eso puede ser válido a cualquier edad.

En el mundo de las personas de éxito social (gente popular), frecuentemente declaran que su personalidad es tímida: cantantes, actores, locutores, periodistas... ¿por qué sucede esto si esas profesiones son de fuerte exposición social? Quizá la tensión de la que habláramos antes les impuso la necesidad de superar los propios temores. Vencer la timidez aquí y ser exitoso en la conducta social fortalecerá la confianza en uno mismo.

La tensión que produce la timidez natural, en el ser humano, puede resultar buena para superarnos a nosotros mismos. Cuando la timidez nos lleva a vencernos y observamos que no sucede nada con relación al entorno, constituye un aspecto positivo de la persona, nos mejora en nuestras cualidades, y esa situación reafirma muchos aspectos positivos de nuestra personalidad; por tanto se modifica el valor de la autoestima hacia una valoración de optimismo sobre nuestras cualidades y virtudes: «*¡he vencido mi timidez!*»; es decir, he vencido mis temores, mis ideas negativas de mí mismo frente a los demás, he vencido a la autoestima negativa, eso me hace ser optimista, valorarme más, estar seguro, querer intentarlo de nuevo y mejorarme.

Una pequeña dosis de timidez no es mala; todo lo contrario: produce una tensión psicológica que nos pone en movimiento, obligándonos a la superación personal.

Esto que es válido para nosotros, lo es de igual modo para nuestros hijos, pero ¡ojo!: el ejercicio de ir superando la propia timidez tiene que estar dentro de un proceso personal suave, graduado. Es algo que cada persona debe vivir. Por eso los padres deben ser prudentes a la hora de *«obligar a sus hijos a...»*.

Lo mejor es motivarle y que él tome iniciativas. Motive las iniciativas de socialización, pero no las imponga; cada cuál tiene su ritmo.

La timidez mala es la que bloquea, aquella que nos paraliza frente a los demás, y como efecto secundario reafirma un grado de inutilidad y poca eficacia en las cosas que se relacionan con los otros. Esto es una consecuencia de la timidez negativa (temida y vivida); reafirma al tímido en su valoración negativa de sí mismo; impregna todo su ser de la tan temida autoestima negativa. Hace del individuo un recluso de sí mismo. Se autoencierra en el temor, surge el egoísmo en la soledad de la incomunicación: temores infundados, sospechas, complejos, inseguridad, violencia... y toda una gama de conductas de inadaptación (valorables en la juventud y la adultez). Ésta es la timidez que hay que evitar en nuestros hijos según crecen.

Un caso

«El psicólogo escuchó a su paciente describirle cómo era de pequeño. Recordó un día que se había metido debajo de la cama de su cuarto para no estar presente durante las visitas de unos amigos de sus padres. Deseaba eludirlos, le costaba tener que ser amable con ellos, repudiaba tener que sonreír y estar allí de un modo modosito, y le asustaban

los niños que venían con aquella familia: ¿qué pensarían de él? Le gustaba jugar sólo, y cuanto más sólo mejor; no deseaba compartir nada con nadie, y principalmente temía al ridículo; ellos se burlarían de su persona, aunque no dijeran nada, lo pensarían, dirían de él que era feo y se reirían, eso no lo soportaba. Prefería estar metido debajo de la cama que sufrir todas aquellas humillaciones. Odiaba que los demás le observaran. Bastante tenía con soportar a otros compañeros de clase que se rieran de él para, encima, recibir a otros enemigos en casa. No saldría en todo el día de debajo de la cama.»

La terapia contra la timidez

La timidez es realmente un problema de la mente que se gesta a lo largo de la historia personal del sujeto, y va tomando una forma cada vez más consistente, siendo durante la época de la adolescencia cuando el grado llega a ser de mayor expresividad, y es así porque el adolescente está profundamente interesado e implicado en todo lo social.

Hay que educar a nuestros hijos en el uso de la televisión.

La timidez es un problema de expectativas, de ansiedad, que se produce en la tensión de verse uno mismo frente a los demás.

Una buena terapia contra la timidez consiste en afrontar esas situaciones productoras de ansiedad hasta que llegue un momento en que sean neutras; es decir, que no tengan ningún valor tensional, que no nos produzcan ningún efecto.

Esto es válido para nuestros hijos. Vaya poco a poco con ellos, de modo gradual, e incluso de forma indirecta: hoy un poco, mañana un poco más, hasta que logre el objetivo de superar las situaciones negativas.

> Nuestros hijos deben ser críticos con lo que propone la televisión.

Éste es un tema donde les podemos ayudar pero nunca sustituir, son ellos los que deben lograr vencer sus temores, y si no les dejamos ensayar sobre el mundo, su capacidad de vencer al propio temor, corremos el peligro de sobreprotegerlos, de ir en contra de la autonomía personal, del propio crecimiento.

No debemos sustituirlos en esta lucha «*contra*» uno mismo, pues de ella surgen valores imborrables, imperecederos, experiencias que les preparan para la vida. ¡La timidez está para vencerla uno mismo!

La influencia de la televisión

La televisión es ¿una ventana hacia el mundo, una ventana que, según Lolo Rico, guionista de televisión, es una «*Fábrica de mentiras*», menos neutra de lo que suponemos?

Nuestro hijo puede aprender no ya a ser violento sino a trivializar la violencia; es decir, ser permisivo o, dicho de otro modo, darle igual ocho que ochenta si a usted, por ejemplo, le pegan un tiro. ¿Se imagina a su hijo viviendo la vida como si tuviera una televisión en su cerebro? No estamos muy lejos de que eso suceda, de que los cerebros se embadurnen de la telebasura hasta límites insospechados.

La televisión suele ser poco formativa porque lo formativo no da dinero, y es basura porque eso produce mucha audiencia y la audiencia es ganancia.

Se están adormeciendo la inteligencia propia y la de nuestros hijos; las imágenes entran fácilmente en nuestros cerebros, y con ese tipo de información no trabajamos mentalmente con eficacia; la inteligencia de los seres humanos necesita de cierta gimnasia mental (por ejemplo, pensemos en la lectura), y no de adormideras televisivas (telebasura a diestro y siniestro).

Si el adulto ve mucha televisión, su hijo también.

La televisión es tan natural en nuestro medio ambiente que apenas la cuestionamos, es una fuente de consumo directo, fácil, que siempre está con nosotros y puede sustituir a una madre o a un padre, o a un amigo (¿no dejamos muchas veces a nuestros hijos bajo su tutela?).

La televisión es asesina: ¿no se ve en ella la más terrible violencia? A veces, inventada, y a veces, real. (Con qué facilidad es arrasado el otro hasta la muerte; se le golpea e insulta, se le ultraja con una facilidad pasmosa.)

Sexo, violencia, lenguaje soez, mala educación, sensiblería comercial (¿acaso los grandes gestos humanos no han sido siempre temas discretos?). Ella tiene la cara de las emociones: nos hace sentir, a veces lloramos, a veces nos emociona y también a veces con ella reímos. Es intelectual y política. Nos informa. Decide en gran medida quién mandará sobre nosotros.

Nos transporta al pasado y al futuro de la imaginación. Nos hace viajeros hasta los confines del universo. Nos hace coquetear con nuestro entorno y a veces ser espectadores cotillas, a veces envidiosos y superficiales. Otras, serios y trascendentales, profundos y comprometidos.

Nuestros hijos deben aprender a ver la televisión. Deben aprender a controlar su influjo: a la larga deben saber apagarla y ser críticos. Lo hacen o vamos hacia la decadencia cultural, hacia el abotargamiento espiritual.

La televisión de consumo no es neutra, se ve que generalmente afecta y modela nuestros comportamientos. El ser humano es vicario por naturaleza: imita, se modela con lo que le rodea, no es neutro a las sensaciones externas.

> Nuestros hijos adquieren nuestros hábitos; si le ve con libros, leerá; si le ven mirando la televisión, verán la televisión.

Precisamente la educación se basa en este principio de influjo, por lo que la pedagogía genera multitud de modelos y sistemas para influir sobre los niños y adolescentes del modo más organizado posible, de manera que beneficie el desarrollo de la personalidad humana.

La televisión constituye un ente muy presente en la vida de los niños y adolescentes. Si sobre ellos no se ejerciera ningún control son los consumidores más jóvenes las víctimas más directas.

Según algunas estadísticas del año 1995, tres de cada diez jóvenes españoles ven sin límite la televisión, lo cual es una cifra muy alta de descontrol educacional.

Algunos consejos

No permita que sus hijos vean sin límite la televisión.

¿Con qué criterios ponemos límites para que nuestros hijos vean la televisión? No se trata de imponer nada sino de educar. Podemos ejercer nuestra capacidad educativa en este tema empleando la lógica. Si yo quiero que mi hijo sea el que en un momento determinado diga «*no veré esto*» (determinados programas), se le debe enseñar para que logre hacerlo.

Desde luego, usted debe considerar la edad del niño y el tipo de programa con el cual queremos que tenga un criterio selectivo.

Imaginemos un caso (por supuesto no es aplicable de un modo genérico).

Un caso

> *«Tenemos una determinada serie de dibujos animados que consideramos violenta, de mal gusto en sus detalles, potenciadora de conductas inapropiadas.*
>
> *Es fácil decir que este programa no se ve, y a veces pude ser recomendable hacerlo. Pero, en este caso concreto, aprovechamos la ocasión para educar a nuestro hijo en un sentido crítico:*
>
> *Podríamos, por ejemplo, decir:*
>
> *—Hoy vamos a analizar por qué papá y mamá consideran que no es bueno ver estos dibujos animados.*

Si usted ve telebasura, su hijo verá telebasura.

Imaginemos que grabamos en un vídeo una de las series. La ponemos y la vemos. Podríamos preguntar al niño:

—¿Por qué crees tú que consideramos que estos dibujos son malos para ver?

A través de la comunicación, el diálogo, el desarrollo de ideas, se puede llegar con los hijos a un consenso: justificar por qué algo es inadecuado. El modo de tratar el tema para hacer críticos a nuestros hijos depende de nuestra capacidad educativa como padres.»

Sugiero que el análisis de determinados programas con los niños puede justificar por qué papá y mamá no dejan ver tal o cual programa. Lo mejor es que su hijo sea el que decida.

Parece que no nos hacemos violentos por ver televisión violenta. Eso sí, corremos el peligro de hacernos «*pasotas*» respecto a la violencia. La indiferencia ante lo terrible es lo peor que pudiera pasarle a nuestros hijos. Las estadísticas hablan de que los niños pasan al año entre 1.000 y 1.500 horas frente al televisor.

Los cambios continuos de escenas hacen de nuestros niños seres más estresados, más hiperactivos. En el mundo de la infancia puede existir un problema de sobreestimulación procedente de la televisión.

Hay que dosificar la televisión. No deje a su hijo más de cincuenta minutos al día frente a ella. Quitarles para siempre este medio es injusto. Su meta debe ser que un día su hijo llegue a controlar este medio, apagando el aparato si es necesario, y siendo crítico ante lo que ve. Nuestro hijo debe asimilar que la televisión y la realidad son cosas separadas.

LA TELEVISIÓN, ¿PARA QUÉ?

Os aconsejamos que introduzcáis en vuestros hogares criterios selectivos a la hora de utilizar la televisión. Se está demostrando que en exceso produce pocos beneficios psicológicos, aunque no es malo en una dosis adecuada, si se usa con criterios suficientemente formados. ¿Por qué es peligroso utilizarla indiscriminadamente? Se sabe científicamente que los medios de comunicación modelan, moldean, condicionan profundamente los intereses y las actitudes de los seres humanos, ¿y qué es esto sino los elementos básicos que conforman la personalidad? Frecuentemente hay un influjo negativo de los mas-media. Nos dan opiniones, nos venden productos, nos muestran la violencia que ya sabemos todos que tiene saña y es antieducativa. La publicidad frecuentemente posee valores dudosos y una condición de falta de respetabilidad (la publicidad de juguetes es para analizarla en determinadas fechas). A veces se ven en ello los valores de una sociedad de consumo y competencia tremenda. Desde el punto de vista educativo es frecuente el mal gusto.

Hay que controlar la televisión porque está conformando en nuestros hijos modelos de referencias poco sanos. Por este motivo pedimos que enseñéis a vuestros hijos a ver la televisión (sabemos que muchos padres lo hacéis). La única manera es a través de la formación y el diálogo. Deben aprender a desentrañar los auténticos mensajes de las emisiones televisivas (tanto de lo bueno como de lo malo). No se trata de que apaguéis la televisión definitivamente. No. Tenemos que enseñar a nuestros hijos a ser selectivos. Hay que obtener criterios maduros. Saber qué hay por debajo de lo que se ve. La televisión puede ser un enemigo peligroso cuando su visualización está mal administrada.

Desde el punto de vista psicológico no es bueno exponerse a ver mucha televisión, genera malos hábitos. Que una imagen valga más que mil palabras es dudoso.

Si vuestros hijos ven mucha televisión quizá no estén haciendo la gimnasia necesaria para el desarrollo intelectual superior: el que produce la lectura asidua, por ejemplo. Controlad el tiempo que dedican a esta acitividad. Dialogad con ellos sobre los programas que ven, introduciendo criterios maduros, haciéndoles observaciones sobre los temas de fondo, generando en ellos la crítica y produciendo el distanciamiento propio de la objetividad.

La publicidad es engañosa en casi todos los niveles. Las películas son con frecuencia violentas y agresivas. Se ensalza la sensiblería mal entendida (aunque a veces se hacen cosas solidarias y verdaderas), pero más frecuente resulta el espectáculo de sofá, el show insulso, el lenguaje pobre, el suceso trágico.

Debemos tener mucho cuidado con nuestros hijos, debemos evitar que los puedan perjudicar. La obligación educativa pasa no por apagar el televisor sino porque aprendan a verla distanciándose de ella y analicen lo que hay detrás de lo que se expone, y que decidan ellos con un criterio formado apagarla.

No se trata de eliminar la televisión sino de aprender a utilizarla, de aprender a leerla, de aprender a apagarla. Y que nadie pueda decir como aquello que se escribió en un dominical del periódico *El País*, al decir de un directivo de estos medios:

«Nos acusan de dar pan y circo, de imbecilizar a la sociedad, pero, si no se lo damos, bajamos de audiencia, y no nos lo podemos permitir.»

Que seáis los padres los primeros que luchéis educando a vuestros hijos contra esto, y, si lo que dice esta persona es verdad, bajemos esa audiencia como sea. Son las familias las que deben hacer de la televisión un medio que nos eleve y no nos hunda en las entrañas de la sinrazón. Si tenemos que bajar la audiencia hasta el cero absoluto, ¡bajémosla! Pasamos ante la televisión casi tres horas y media diarias. ¿Qué magisterio nos brinda este medio? Cuidad a vuestros hijos. Y repito, no digo que toda la televisión sea mala, ni mucho menos.

J.G.R.

Hoy en día la televisión es casi toda basura. A estas empresas le interesan solamente la audiencia, lo cual les llevan a la publicidad, y de la publicidad a la ganancia.

Las audiencias minoritarias, como la de los niños, carecen de importancia en temas de programación.

La adaptación de los hijos a los centros escolares

La conducta y su significado

La conducta, o el comportamiento humano, es tan importante para conocernos, que, quizá sin tener una idea sobre la conducta del otro, podríamos pensar que es imposible saber quiénes somos cada cual, y tener una idea acertada del prójimo. La conducta nos abre el universo interior de la persona. La conducta como concepto ha sido objeto de estudio por filósofos empiristas, por naturalistas de todo tipo. Los etólogos hacen del comportamiento el fundamento del conocimiento de la conducta animal.

El comportamiento es el reflejo interior de la persona, por lo que analizándola se puede obtener mucha información de nuestro hijo.

Han sido los psicólogos los que, con respecto a los seres humanos, hicieron de la conducta el objeto esencial para obtener de ellos un cierto conocimiento.

Conocemos al prójimo por lo que hace, por lo que dice..., y de ello deducimos su modo de ser. Nadie puede tener del otro un conocimiento directo si no es por la estela que deja de sí mismo en el diario comportamiento.

«Por sus obras los conoceréis»

Las obras humanas son los comportamientos humanos, las conductas humanas. La familia, como unidad social, tiene un eje fundamental en su propia dinámica de conducta, en las conductas que producen.

Los modos de comportamiento de la familia nos dicen cómo son ellas interiormente.

Intentos para evitar el colegio: fobia al colegio

Pero no hablemos en abstracto y consideremos conductas que pueden darse con relación a nuestros hijos.

¿Por qué se producen las fobias y las inadaptaciones escolares? Los niños pequeños, medianos y mayores muestran cuadros de rechazo hacia los medios escolares que se asocian con sus dificultades emocionales.

> Las fobias y las inadaptaciones en la escuela suelen ser muy frecuentes.

Los cuadros de rechazo son las conductas que los niños o adolescentes presentan ante lo escolar, y esos comportamientos externos llevan, en su interior, a una serie de dificultades emotivas que pueden existir en nuestros hijos. La evitación escolar es un conflicto que no beneficia al niño o al adolescente, le perjudica en su rendimiento.

Existen niños y adolescentes que presentan miedos desproporcionados, e incluso irracionales, a la escuela y practican muchas veces el absentismo. La fobia hacia la escuela la observamos en un comportamiento caracterizado por un rechazo activo, y conductas de miedo que incluyen negativas a ir al centro.

Las fobias escolares a veces se producen por efecto de una afectividad demasiado pronunciada en la familia.

Esta fobia puede hacerse de alguna manera crónica si los padres y profesores, o educadores, no toman parte activa para cambiar esta situación. Muchas veces esta conducta expresa que el niño o el adolescente vive un ambiente familiar alterado, con problemas.

Estadísticamente, ciertos estudios ponen en relación muy alta la afectividad que se establece entre la madre y su hijo como causa de este tipo de fobia.

El hijo trata de perpetuar una relación afectiva muy intensa en el ambiente familiar, intentando mantenerse en él: trataría de perpetuar su afectividad y alta sensibilidad quedándose en casa. Al llegar a la escuela rechaza este medio social mostrando conductas desadaptadas muy diversas: puede mostrarse agresivo, poco colaborador, quizá triste, no habla...

Cuando las fobias escolares son muy aparatosas nos indica que el niño o adolescente está viviendo una situación muy traumática. En este cuadro existe un alto nivel de angustia y toma como síntomas el miedo a la escuela, la fobia escolar aguda. Esto no es frecuente, y si alguien lo viviera, necesariamente se aconseja visitar al especialista. Esta misma problemática iría acompañada de aparatosas reacciones en forma de vómitos, terrores nocturnos...

Inadaptación escolar

Menos aguda y más frecuente es la inadaptación escolar. Aquí el rechazo del niño, o del adolescente, se debe a factores inherentes al centro: el aula, los compañeros, el profesor o educador, u otras causas pueden producir un sentimiento de desadaptación del niño al aula. Aquí los intereses y la motivación del niño divergen de las exigencias escolares.

Existen muchos tipos de inadaptaciones escolares. Los niños superdotados pueden estar inadaptados por no encontrar motivación en los aprendizajes ya superados.

Existe un conflicto entre el comportamiento del alumno en el aula y los intereses del colegio: observamos que estos niños se aburren, tienen desinterés, poca motivación por el aprendizaje, por la asistencia al centro, por las relaciones con los profesores, educadores, por los compañeros.

Estos niños, o adolescentes desadaptados, presentan también problemas de conducta: agresividad, por ejemplo; en los adolescentes se producen enfrentamientos con el profesorado.

Los niños, o adolescentes, desadaptados escolarmente pueden estar inseguros de sí mimos y tener la autoestima por los suelos. Sus conductas verbales nos podrían indicar sentimientos de infravaloración. Por supuesto, el rendimiento en los aprendizajes propios de la edad es menos efectivo, más retrasado lo que, en consecuencia, genera en la familia inquietudes y problemas.

Si son pequeños, esas inquietudes se manifiestan en forma de ansiedades familiares, y sin son mayores en forma de disputas y conflictos.

La inadaptación escolar puede estar motivada en el centro escolar (si sospecháis que fuera así hay trabajar en el medio escolar con los educadores o profesores).

Pero no siempre es de ese modo, pues los conflictos emocionales pueden estar en el medio familiar y éstos son proyectados a la escuela; observamos muchos niños y adolescentes con una fuerte necesidad de llamar la atención a toda costa y como sea.

El rechazo al centro escolar es más fuerte y claro en la fobia que en la inadaptación.

Si alguno de vuestros hijos estuviera en alguna de estas situaciones, os recomendamos que tratéis de buscar ayuda. Pues así comienza muchas veces el fracaso escolar.

Si son muy pequeños, hay que pensar que el niño mantiene un fuerte vínculo afectivo con su familia (probablemente con la madre) por lo que hay que trabajar la autonomía e independencia.

> Si el niño quiere ausentarse del colegio sin causa justificada no debemos consentírselo.

Si es mediano, o mayor, el tema hay que analizarlo en profundidad. Normalmente las conductas de evitación escolar se deben a problemas emocionales de muy distinta índole y de muy diversos grados. No todas son patológicas pero sí muy frecuentes.

Adaptación de los niños a los centros educativos

En septiembre-octubre siempre nos encontramos nuevamente con el tema de la adaptación al colegio con su reclamo de obligaciones y vuelta a los cotidianos quehaceres.

Los niños, de regreso a la escuela, como nos sucede a los adultos en nuestros trabajos, deben hacer un esfuerzo de adaptación.

> Los niños, como los adultos, necesitan un tiempo para adaptarse a los nuevos medios.

La propaganda, con su multitud de ofertas coloristas y atrayentes, recuerda a padres e hijos la realidad de un nuevo ciclo llamado curso escolar, que supone un cambio en el estilo diario de vida familiar: tanto de los padres como de los hijos.

Ayudarles a adaptarse a los centros educativos

¿Cómo pueden los padres comenzar a ayudar a sus hijos ya, desde el primer día de vuelta a los centros escolares?

Primeramente, comprendiendo que los niños necesitan un tiempo de adaptación al medio escolar y, en segundo lugar, haciendo que este período de adaptación sea lo mejor posible.

La familia es lo más importante que existe en el universo del niño, cualquier circunstancia que el chico o la chica viva como una ruptura brusca, o menos brusca, con su familia, precisará de un tiempo de elaboración personal, de una asimilación psicológica.

Por este motivo, los niños pequeños lloran, no se quedan totalmente agusto, y los más mayores producen multitud de reacciones, que muchas veces preocupan a los padres.

Pues bien, los padres deben estar tranquilos en este sentido: a sus hijos no les pasa nada, sólo están adaptándose a un ritmo diferente de vida.

La adaptación al colegio se caracteriza porque el niño debe asimilar un medio nuevo al familiar.

Este período de adaptación al medio escolar se realiza de modos muy diversos: depende de la personalidad del niño, de su forma de vivir la separación de sus padres y hermanos, etcétera.

Sea cual fuere la reacción, no es malo que en el niño aparezcan manifestaciones de «*cosas extrañas*»; esto significaría que el esfuerzo que tiene que hacer es externo y, por tanto, mucho más «*elaborable*», por su mente que si se quedase en su interior y no apareciese ninguna manifestación. Es, pues, el tema más importante que al principio de curso aparece con relación a la educación de nuestros hijos: el de la adaptación a la escuela.

Por tanto, también debe ser un tema muy importante que hay que considerar, no sólo por parte de los padres sino por el propio centro donde asistirá el niño. No es un tema para preocupar sino para actuar con eficacia, ayudándole. En el proceso de adaptación concurren fenómenos afectivos muy complejos: autoafirmación, proceso de adaptación social, que implican la aceptación del otro y el grupo, la construcción de la propia personalidad infantil frente a nuevas experiencias externas a la familia, etcétera, y esto nos hace observar, durante el período de adaptación, una diversidad de reacciones somáticas, efectivas, cognitivas, etc., que dependen de la personalidad de cada niño.

Este pequeño «*desequilibrio*», producido al inicio de la escolarización, debe contemplarse desde una actitud serena de normalidad.

Es corriente que así sea. Nuestra actitud debe ser reflexiva pero nunca alarmista.

La afectación del lenguaje del niño, o el tornarse mimoso, presentar alguna micción nocturna (o diurna), alguna que otra pesadilla en el sueño, etc., son reacciones del todo normales, que pasarán en un período más o menos corto de tiempo.

> Al principio del período de adaptación es normal que el niño responda con pequeños problemas.

El tiempo que tarde el niño en elaborar, aceptar su nueva situación escolar, su nuevo ritmo, es lo que se llama período de adaptación. Muy importante durante este tiempo es que los padres controlen sus propios miedos, sus inquietudes, inseguridades y angustias, pues al niño no le está pasando nada.

El padre siempre debe controlar sus sentimientos y contradicciones; de este modo no proyectaremos sobre nuestro hijo aspectos negativos al respecto de nuestros propios temores y ansiedades y retrasar así su adaptación escolar.

El niño capta absolutamente todo lo que le rodea; lo que es sentimental, afectivo, mucho más, y eso lo puede manejar a su antojo.

Tenga cuidado de no mostrar lo mucho que le afecta el período de adaptación de su hijo al colegio.

Unos padres inseguros, contradictorios y ansiosos harán que su hijo se adapte mal a cualquier medio social que no sea el familiar.

¿Qué hacer durante este tiempo?

El período de adaptación a la escuela es más breve y fácil cuando el niño percibe a su alrededor un ambiente cálido y seguro. La propia escuela debe tener una organización educativa muy especial durante el tiempo de adaptación que surge de curso a curso: debe ser tenido en cuenta en los programas de actividades, en el fomento de una mayor sensibilidad por parte de los profesores, personalizar lo máximo posible el trato.

> No debemos responder a todas las demandas que presenta nuestro hijo, aunque sí hay que ser muy sensibles para favorecer la integración.
> Ni tampoco debemos proyectar en ellos la angustia que tengamos como padres, eso no favorece la adaptación.

Los padres deben tener mínimas inquietudes con respecto al centro: conociéndolo, preguntando cómo va el niño diariamente (si es posible), tratando a otros padres y conociendo la filosofía educativa en la que actúa el centro. Consulte todas las dudas e inquietudes que tenga sobre cómo está el niño viviendo este período, pero nunca hay que ceder ante la presión a la que nos puede someter nuestro hijo *(«Me da lástima dejarlo», «Mañana lo intentaremos de nuevo», «Que esta semana se quede en casa»),* ya que eso reforzaría la desadaptación. Hay que resistirse valientemente.

El proceso de adaptación debe ser paulatino, más o menos lento, que debemos aceptar como normal. ¿Acaso los adultos no tenemos que adaptarnos continuamente con esfuerzo a las diversas circunstancias y situaciones que nos presenta la vida?

Que cada padre piense en sus procesos personales de adaptación social. Cualquier niño no tiene por qué ser diferente en esto.

La autoestima en los hijos

La autoestima forja el interior de la persona (es el valor que nos damos a nosotros mismos), es el espejo en el cual el individuo se contempla, ve la faz de su interior según ojos también interiores.

La autoestima es el resultado de nuestra experiencia con la vida *(«Me quisieron o me odiaron»)* y sus consecuencias («*Soy feliz o infeliz, estoy bien o estoy mal...*»).

La autoestima refleja las consecuencias de lo que un día hicieron con nosotros y nosotros hicimos con los demás. Nuestra autoestima se construye día a día y de su resultado depende nuestro modo de actuar presente y futuro.

Nuestros hijos dependen de su autoestima (los niños y los adolescentes están muy atentos a sí mismos), de la imagen que tienen de ellos mismos en las profundidades internas (la autoestima es un proceso interior de la personalidad).

La autoestima es como un instrumento de sutilísimos sonidos cuya armonía puede desatar melodiosas y creativas composiciones (hacer de la persona alguien maduro y adaptado), o producir desequilibradas notas y tonos (hacer del individuo alguien inmaduro y desadaptado).

Casi todos nosotros podríamos decir

«—La confianza que los demás tienen en mí es parte de mi autoestima positiva. Cuando me siento valorado y querido mi autoestima es esplendorosa y está llena de luz. Cuando me respetan, me aceptan sin el egoísmo del trueque, mi autoestima es más recia, firme y positiva. De tal modo, son tan buenas ésas y otras cosas, que básicamente la actitud interna que yo tengo hacia mí mismo y los demás se basa en ello...»

Dos cosas pueden suceder con la autoestima

1. Si la actitud hacia mí mismo es positiva: el vuelo hacia el mundo es optimista (hay adaptación a la vida).

2. Si resulta negativa: el vuelo hacia el mundo es escabroso y problemático (existe inadaptación a la vida).

Autoestima positiva

El vuelo hacia el mundo es positivo cuando se está seguro de uno mismo para afrontar las cosas de la vida, creciendo como persona sin límite en la ilusión y objetividad (madurez), en la autoaceptación de uno mismo.

Autoestima negativa

Si analizamos la autoestima en su forma negativa, sus efectos son dañinos y nefastos. Expresan una manera negativa de vivir. Alguien podría verse en su espejo interior de autoestima y notarse roto, dolido, herido...

¡Cuántos rostros en nuestra comunidad de humanos están frente a sus espejos de autoestima desgarrados! Podrían decirnos algunos de ellos:

—No me quieres de verdad. No me valoras. Ni me amas aunque me des cosas. No me respetas. Y así soy una persona insegura y problemática.

¿Qué es la autoestima?

La autoestima es un concepto dificultoso de definir. ¿Qué significa la autoestima con relación a nuestros hijos? Se dice que la autoestima se relaciona con el autoconcepto, la autoimagen.

Estudiosos diversos creen ver en la autoestima el núcleo central de la persona. Por tanto, también es la parte más fuertemente implicada en la conducta. Podríamos decir que muchos comportamientos desadaptados en niños y adolescentes se producen por baja autoestima.

Resulta así porque la persona se evalúa a sí misma y se aprueba o se desaprueba. Se considera capaz de éxito o no. Una persona importante o sin valor para los demás. Las consecuencias de estas valoraciones las podemos imaginar. Este juicio de valor subjetivo puede producir beneficios, o graves consecuencias en los comportamientos. El rendimiento escolar se ve afectado por la autoestima, lo favorece o todo lo contrario, según sea el signo de esta percepción.

¿Qué hacer por la autoestima positiva de los hijos?

Debemos intentar, por todos los medios, que nuestros hijos adquieran una valoración positiva de ellos mismos. La valoración de sí mismo debe ser equilibrada, pues el exceso produce también graves consecuencias *(«Mi hijo lo hace todo bien y es el mejor», «Son extraordinarias sus virtudes»..., cuando no lo es tanto).*

La autoestima positiva la van creando nuestros hijos desde el momento mismo en que nacen.

Si lloran y se les atiende, si les abrazamos y queremos (cuando son pequeños), ellos comienzan a sentir que el mundo es seguro, descubren la confianza en los miembros de su familia.

Si queremos a nuestros hijos y los respetamos, crece su autoestima. Si les indicamos los límites de las cosas con equidad, estamos ayudando a que su experiencia sea de autovaloración positiva.

Pero, ¡ojo!, con esto no estamos hablando de permisividad ni de inflexibilidad en la conducta hacia nuestros hijos, sino que debemos tratar de equilibrar todas las reacciones:

Que la vida sea un mundo positivo para él en el respeto, la justicia, el amor, la educación, el buen gusto, hacia todas las cosas del entorno y hacia sí mismo. La percepción que deben tener nuestros hijos de valía personal estará en relación con todo lo que le rodea.

Existe una autoestima positiva y otra que es negativa.
La autoestima es el resultado de una valoración que la persona realiza sobre sí misma.

Los contextos de tareas y aprendizajes serán mejores para su autoestima cuanto mejor se desarrollen, pero, si el niño o el adolescente presenta dificultades en los aprendizajes, debemos enseñarle a saborear el triunfo en su propia evolución, pero jamás compararle.

> La autoestima positiva no es la valoración que hace el pedante de sí mismo, es otra cosa.
> La autoestima se educa, y son los padres los que pueden ejercer una influencia positiva, principalmente cuando el hijo es todavía un niño.

Debemos encontrar ayuda cuando nuestros hijos sufren por no poder afrontar las cosas propias de la edad. Los niños pueden destruirse por estas cosas a lo largo de su vida y llegar a la adolescencia con problemas. Son la fuente del fracaso escolar y otras situaciones extremas. Todo lo contrario resulta cuando el niño vive un proceso feliz de éxito en todas sus cosas, o aprende a valorar los éxitos y fracasos en una dinámica sabia y consecuente.

La autoestima es un sentimiento

La autoestima es positiva en ellos y pronostica seguridad y equilibrio personal. Es la expresión media de las cosas vividas en un sentido subjetivo. Este sentimiento personal, profundo, de aceptación o negación de sí mismo es un aspecto muy importante de la persona.

Esta valoración es algo que se aprende ya desde el mismo momento en que nacemos. La autoestima es un valor variable para cada momento de la vida.

La autoestima se educa, puede cambiar

La autoestima es algo que se educa. Haga que en cada edad su hijo viva de modo positivo sus progresos: en lo personal, en lo social, en lo escolar, en lo familiar.

Tenga siempre presente que las primeras vivencias con relación a la autoestima están en la familia, luego en la escuela y, finalmente, en lo social.

La familia constituye la raíz de la autoestima básica. Influye la aceptación que se tenga de nuestro hijo.

La autoestima, volvemos a decir, no tiene nada que ver con la valoración que hace un pedante de sí mismo. La autoestima positiva es el valor optimista sobre uno mismo y sus posibilidades, pero afrontándolo desde la realidad, la madurez, la objetividad; siendo también capaz el individuo de afrontar los aspectos propios negativos.

Debemos enseñar a nuestros hijos a autoevaluarse de modo optimista, pero equilibradamente.

> *«No le diga: "¡Qué inútil eres!" Cuando haga algo mal, dígale: "¡Si lo intentas de nuevo, seguro que lo lograrás porque tú puedes!" La diferencia en el modo de tratar es abismal, en ello se pone en juego a lo largo de muchas experiencias de este tipo la autoestima de nuestro hijo.»*

Los límites expuestos, el respeto y la permisividad, etc., forman parte del proceso básico de la autoestima. Influye el medio social y cultural donde la persona esté.

La escuela, después de la familia, es el ámbito más importante donde nuestros hijos desarrollan su autoestima. Ésta y el rendimiento escolar suelen estar muy relacionados, así como la baja autoestima y la conflictividad.

Debemos positivizar a nuestros hijos desde la verdad y la realidad, no desde la mentira y la fantasía. Todos debemos aceptarnos tal como somos, y somos maravillas, al menos de la Naturaleza.

> Logre que su hijo adquiera una autoestima positiva.

La autoestima es una condición humana aprendida, que nuestros hijos viven y forman en su interior.

El diálogo interior

Frecuentemente la autoestima aparece, cuando se tiene cierta edad, como un «*eco interno*», o un diálogo interior.

Cuando un niño o adolescente se dice a sí mismo algo como: *«No soy capaz»; «Soy algo tonto»; «Esto no es para mí»; «Todo lo que intente es inútil»; «Paso de todo»*, y además lo piensa con frecuencia, resulta que esta hija o hijo nuestro está forjando una BAJA AUTOESTIMA. Y seguro que está asimilando esa conclusión desde la convivencia más próxima de su entorno (familia y/o escuela).

Le dicen de alguna manera: *«No eres capaz»; «Eres algo tonto»; «Esto no es para ti»*. Estas situaciones generalizadas a millones de estímulos son lo que en la mente conforma la percepción interior de uno mismo. En este caso NEGATIVA.

Cuando nuestros hijos o hijas forjan en sus fueros internos ideas de autocríticas negativas sobre sí mismos, que, siendo continuadas, producen una BAJA AUTOESTIMA.

¿Qué podemos hacer por estos niños y adolescentes? Tenemos que evitar que nuestros hijos o hijas adquieran esta forma de diálogo interior negativo, pues ello lleva el sello del FRACASO y los PROBLEMAS.

Debemos, pues, potenciar el diálogo interno positivo. Cuando nuestra hija o hijo crea en su fuero interno ideas positivas sobre sí mismo/a crece en su AUTOESTIMA POSITIVA. No se trata de generar ideas falsas, sobrevaloraciones inadecuadas, sino aquellas que animan y motivan a las acciones positivas de nuestros hijos. Que se digan: *«Soy capaz»; «Tengo que esforzarme y lo lograré»*, y que aquellos ambientes que le rodean le apoyen: *«Eres capaz»; «Si te esfuerzas lo conseguirás»*, y a que con ello se aproximan al ÉXITO personal.

> Si usted dice frecuentemente: «no eres capaz», su hijo dirá: «no soy capaz», lo que supone el origen de muchos fracasos.
> Los seres humanos somos lo que los demás hacen de nosotros, de ahí nuestra responsabilidad social.

Está muy claro que las expectativas que las personas tengan sobre nuestros hijos influyen en su autoestima, en el modo en que nuestros hijos perciban a su familia y la escuela condiciona su conducta. Si sobre la escuela nuestro hijo o hija dice: *«Es un rollo»; «No quiero ir»*, no se encuentra motivado por el ambiente donde está, es expresión de un pensamiento de autoestima bajo: *«No valgo»*, lo cual produce en la persona ansiedad, tensiones, bloqueos, fallos en los hábitos de

CONSEJOS SOBRE AUTOESTIMA

1. Los padres son los responsables directos, desde que el niño o la niña nacen, de sus comportamientos, de cómo piensan y sienten, de cómo se perciben. Son los máximos responsables de cómo sus hijos se autoestiman o se desprecian, de que se sientan bien o se sientan mal.

2. Lo que hace la autoestima positiva es el AMOR entre las personas. Los afectos, las emociones equilibradas. No a la manipulación y al egoísmo para herir a los demás y degradarlos según la proyección de nuestros intereses.

3. Tenemos que lograr que a nuestros hijos se les quiera. Lograr que no vivan ambientes degradantes, tensos, agresivos, insulsos y que produzcan en ellos daños psicológicos en palabras y obras.

4. Hay que tratar de eliminar las influencias negativas de todo orden que rodeen a nuestros hijos.

5. Jamás estamos hablando de supervalorar a nuestros hijos, sobreprotegerlos. Hacer esto

produce un gran problema de autonomía. Hay que transmitirles el sentido de la equidad: «Soy como los demás son», «Puedo como todo el mundo». Hay que atacar los sentimientos de inseguridad.

6. Tenemos que lograr que nuestros hijos alcancen metas positivas.

estudio, y es la base del FRACASO ESCOLAR (según M. Larrán).

Procurar que vuestros hijos se vean motivados por el ambiente donde estén. Que lo disfruten de modo positivo, y se digan: *«El cole está muy bien»*, lo que en términos de autoestima significa: *«Soy capaz»; «Significo»; «Puedo»*. Lo cual se traduce en «Hago las cosas»; *«Estoy dispuesto/a»; «Estudio»; «Planifico»...*, y es la base del ÉXITO ESCOLAR y de la ALTA AUTOESTIMA (según M. Larrán).

¿Cómo aprenden nuestros hijos?

DURANTE LA INFANCIA

Aprender autonomía

A veces creemos, por ser nuestros hijos *«pequeños»*, que debemos esperar un poco más para tratar el tema de los aprendizajes. Cuanto más pequeño es un niño más flexible y más abierto resulta su modo de aprender. Este modo de aprender de los niños, tanto en Infantil como en casi toda la Primaria, se distingue precisamente por la naturalidad en que el niño o la niña aprenden las cosas. Se caracteriza porque el aprendizaje se relaciona mucho con las actividades lúdicas o de juego. Un alumno de estas edades está más abierto a aprender cuanto más próximo esté el aprendizaje a su propia naturaleza. El niño aprende todo

> Cuando el niño es muy pequeño, los hábitos generan autonomía.

aquello que le motiva, y suele estar muy atento a las novedades de su entorno; la Naturaleza le indica que debe asimilar pautas de comportamiento nuevas para progresar en la construcción de la capacidad cognitiva y la personalidad.

En los niños hay comenzar trabajando los hábitos primarios más elementales, que consisten en ir progresivamente haciéndoles más autónomos con relación a sus necesidades, la atención a su cuerpo y la autonomía, y poco a poco ir construyendo su atención, los hábitos sociales y otras cuestiones muy importantes, fundamentalmente en la infancia.

Aprender a centrar la atención

Si no logramos que un niño desde su más tierna infancia realice acciones que dirigen los adultos, en casa los padres y en el colegio los profesores, difícilmente podrán enseñarles acciones que requieran atención. Imaginemos la escritura mecánica que iniciamos en Infantil y se prosigue en sus automatismos en los primeros cursos de la Primaria. Si en Infantil no logramos generar en él el hábito del trabajo, de que aquello que le indique su profesora lo realice, se ejercitará menos, pongamos por caso, en aspectos de la psicomotricidad fina, y esto será problemático porque posteriormente sobre aprendizajes que exigen un mayor nivel de concentración operará con mayor dificultad lo que puede ser fuente de retraso.

La atención, durante la infancia, es un aprendizaje que hay que estimular.

Los niños pequeños deben ser autónomos, deben desarrollar mucho el lenguaje hablado tanto en su pronunciación como en su comprensión, deben ejercitarse en todos los planos de la psicomotricidad fina y gruesa.

Podríamos decir que las técnicas y hábitos de aprendizaje tendrían que estar muy relacionados con estas cosas. Y no solamente para estimularlas en el colegio, sino también en casa.

Si un niño pequeño se sube y se baja de una silla, está aprendiendo de modo psicomotor grueso, con ese movimiento, lo que es arriba y lo que es abajo. Luego esas acciones se realizarán también sobre el papel, y pasado el tiempo cuando aprenda a escribir, usará esas experiencias para alzar el lápiz y hacer una ele con rasgos de movimientos finos de arriba abajo. Entre medias pone en juego las coordinaciones vista-mano, que experimentara cuando de muy pequeño su mamá le dejaba comer con una cuchara. Esto quiere decir que nada del pasado de un niño es indiferente para los aprendizajes presentes. Por eso la educación infantil es tan importante.

Los aprendizajes nuevos van sumando capacidades desarrolladas anteriormente.

Cuando se llega a la Primaria

A lo largo de toda la Primaria los niños, como hemos dicho, ponen en juego las capacidades aprendidas durante la primera infancia, y con estas capacidades pueden ir nuevamente construyendo todo aquello que se le proponen. En principio, en los primeros cursos de Primaria, aunque el desarrollo cognitivo es una dimensión gigantesca en los seres humanos, se mantienen los aprendizajes sumergidos aún en la mecánica, los automatismos, el ensayo-error, la psicomotricidad, etc.

Las capacidades de nuestro hijo van madurando poco a poso hacia la comprensión.

Podríamos decir que los aprendizajes pasan de una ejercitación en el espacio exterior hacia otra que es interior y psicológica. Es en los cursos de la Primaria, donde con más nitidez el niño pasa de lo mecánico, de lo manipulativo, a lo comprensivo. Una vez que el niño es diestro en la escritura y la lectura, en su forma mecánica, el énfasis se va a ir poniendo cada vez más pronunciadamente en lo comprensivo. No queremos decir que anteriormente el niño no sea capaz de comprensión, sino que es ahora, a lo largo de la Primaria, cuando el niño singulariza más su aprendizaje en términos de comprensión. Y toda la actividad alrededor del alumno gira precisamente, en el ámbito cognitivo, en torno a capacitarlo en esta dirección.

Al final de la Primaria

Son los últimos cursos de Primaria donde ya comienza el profesor a ejercitar continuamente esas capacidades de comprensión de interioridades en los alumnos.

Las técnicas y los hábitos comienzan a ser objeto de exposición por parte de los profesores. Se les dice y se les entrena a los niños para que subrayen lo que comprenden de un texto, esto solamente es posible porque el niño a lo largo de su escolarización ha interiorizado o cristalizado no solamente en conocimiento cultural, sino también inteligencia; se les pide que esquematicen, y es porque son capaces no sólo de analizar sino de sintetizar, y así con multitud de trabajos puramente intelectuales.

Es desde tercero de Primaria cuando ya podemos ir trabajando de modo muy sofisticado todas estas cuestiones. Detrás quedan muchas de las cosas que hemos explicado. De aquí que cuando existen dificultades se puedan achacar a situaciones muy remotas en la evolución de la persona.

Los padres deben estar atentos

Los padres debéis estar muy atentos a esta evolución para dar a vuestros hijos aquello que precisan, para conseguir mayor éxito de la maduración y el desarrollo personal.

Y no olvidéis que la educación infantil resulta ser como el cimiento en un edificio, en este caso del edificio educativo de la persona.

DURANTE LA NIÑEZ Y LA ADOLESCENCIA

Estudiar

A veces creemos que estudiar es una cuestión propiamente escolar, un tema sobre el que muchos adultos consideran, para sí mismos, de otra época: estudiar es cosa de los hijos. Incluso muchos jóvenes fantasean al creer que cuando no tengan que realizar esta actividad ya serán adultos. Quizá esté muy generalizada, entre los estudiantes, la idea de que el estudio es un fastidio. Al menos, eso he comprobado yo personalmente al pedir a muchos estudiantes una idea sobre este asunto:

> *«Cuando llego a mi casa no hago nada, me tumbo en el sofá y me pongo a ver la televisión. Cuando me canso de oír a mis padres decirme que me vaya a estudiar me encierro en mi habitación y pongo la radio, hago algo de lo que me mandan y cuando me aburro me pongo a dibujar o hacer tonterías, cuando pasa una hora y media o dos horas me salgo otra vez a ver la televisión».*

Esto lo dice un chico de catorce años que estudia Bachillerato, y, aunque es un caso muy extremo, las cosas andan entre los estudiantes, a veces, con una alta desmotivación por la actividad del estudio.

En un colegio madrileño de prestigio por su buen hacer, realicé yo una investigación, precisamente sobre esta cuestión del estudio, entre unos 200 alumnos mayores de trece años. Me interesé sobre cómo planificaban, sobre sus hábitos a la hora de estudiar, la actitud que mostraban por la actividad en clase (en términos de motivación e interés); observé una actividad de análisis como es la de tomar apuntes, y analicé sobre la actitud que el estu-

Estudiar es una actividad que requiere organización y método.

diante toma ante los exámenes y su preparación. ¿Se puede usted imaginar qué es lo que más interesa al estudiante medio de todas estas cosas? Pues muy sencillo, todo indica un fuerte interés por aprobar y preparar los exámenes. Todas las demás cosas, según pude deducir con datos, quedan relegadas a un segundo plano. Esta conclusión es lógica dentro de una cultura fuertemente competitiva, pero va en contra de todos los principios didácticos y pedagógicos. Nuestros hijos deberían prepararse para capacitarse más y mejor, y las evaluaciones deberían ser puros accidentes y trámites en su proceso educativo.

> Es triste que lo más importante para estudiantes y padres respecto al estudio es el hecho de aprobar.

Por eso es muy interesante reflexionar con los padres sobre el modo de aprender que deberían tener sus hijos.

Estudiar es algo que singulariza la vida humana. El modo de aprender de los seres humanos establece parte de su unicidad frente a otros seres de la Naturaleza. La capacidad humana para el aprendizaje es precisamente uno de sus rasgos más peculiares.

Dicen los antropólogos que el ser que nace más inmaduro de la Naturaleza somos nosotros ya que todos los demás animales nacen con una predisposición de adaptación al medio más desarrollada en cuanto a capacidades y habilidades propias de la especie. Pero no lo es en cuanto que esta falta de madurez frente al medio le hace más propenso, más abierto y flexible a los aprendizajes.

Los animales nacen con ciertas capacidades; a veces, concluidas en modo de pautas de comportamiento. El ser humano tiene que aprenderlas. El hombre es un animal de aprendizaje desde que nace hasta que muere, siempre está aprendiendo cosas. Esta singularidad natural se expresa en la vida cotidiana de mil modos diferentes.

Una de las actividades en la que el ser humano potencia más el aprendizaje es precisamente en el estudio. Estudiar es una actividad repleta de acciones, de aprendizajes, y que se desarrolla de modo muy pronunciado durante la infancia, niñez, adolescencia y juventud, períodos en los que las capacidades y la personalidad van haciéndose, formándose de modo más definitivo.

Estas edades son los momentos más característicos, propios del aprendizaje, porque son también las etapas donde aún el ser humano no está totalmente determinado, se está haciendo. El estilo de aprendizaje que su hijo adquiera, o esté adquiriendo durante este período, es determinante para la adquisición de nuevos conocimientos, para el resto de su vida.

Sin embargo, pese a que el ser humano, según se hace más mayor en edad, también esta más determinado en cuanto a sus capacidades y es más inflexible, es posible mejorar el estilo, el modo y la capacidad de aprender. Todos podemos mejorar nuestro estilo de aprendizaje. Cualquier persona que se observe cómo es capaz de aprender, puede mejorar su propio sistema para adquirir conocimientos.

Los seres humanos somos animales de aprendizaje.

Este tema trata de que tome conciencia del modo en que los humanos nos enfrentamos a los aprendizajes, al estudio, e intentar dar importancia a las técnicas y los procedimientos que mejoran el aprendizaje. Queremos que el análisis de técnicas, procedimientos y estrategias de aprendizaje ayuden a su hijo a asimilar mejor todo lo que estudia, a desarrollar sus capacidades y aptitudes. Por supuesto para que le sirvan también de modo eficaz a la hora del estudio y los exámenes, haciendo que consiga el éxito en las pruebas de cualquier tipo y nivel y en cualquier circunstancia.

Siempre es posible mejorar la forma de encarar el estudio.

Estudiar con método

Haga que su hijo adquiera un método de estudio, es decir, que estudie de un modo ordenado y sistemático.

Que estudie todos los días al menos dos horas; logre que tenga un horario establecido de antemano. Incúlquele que un buen estudiante siempre tiene que hacer algo durante esas dos horas.

Mientras que su hijo o hija estudia procure que tenga todo preparado sobre la mesa. Intente que esté en un lugar adecuado, con buena luz y ventilado, donde no existan ruidos y que no le molesten. Dígale que no se levante de su sitio mientras estudia y que esté concentrado al máximo en lo que está haciendo.

Mientras estudia debe conseguir que su hijo se organice el aprendizaje de un modo lógico. Que comience con una asignatura o tarea semidificultosa, luego con las que más le cueste y que termine con aquello que le sea más sencillo. Esto tiene un sentido lógico, pues al final se está más cansado física e intelectualmente.

Procure que su hijo razone y sepa lo que está haciendo: en definitiva, que entienda. Estudiar constituye un tema de continuo análisis. Para que ese análisis sea más efectivo es muy importante que su hijo tome buenos apuntes en el aula; subraye y haga esquemas y resuma con sus palabras los contenidos. Esto parece un tópico, pero son las herramientas de la comprensión, luego es cuando su hijo podrá memorizar mejor, ésta es una memoria comprensiva. Procure que su hijo autoevalúe todo lo que sabe, lo que ha asimilado, para asentar sus conocimientos. Éste es el mejor modo para asimilar los contenidos, con ella también se consigue tener más éxito en los exámenes.

> Hay que generar hábitos de estudio en nuestros hijos.

Potenciar la memoria de los hijos

La memoria en nuestros hijos

El tema de la memoria es muy importante con relación a los aprendizajes, es una capacidad básica y esencial del desarrollo humano, ya que está estrechamente relacionada con el proceso de escolarización de nuestros hijos.

Todos hemos oído hablar de la memoria desde muchos ángulos; realmente, es un tema de una dificultad endiablada. No podemos agotar aquí esta temática, pero lo que decimos puede valer para que se considere como algo que nunca debemos olvidar en nuestros hijos, aunque éstos sean muy pequeños.

En cierta ocasión, a un alumno de ocho años, le pregunté qué palabra podría darme él como parecida a memoria; me dijo, sin mucho titubeo, que le sonaba a *«aburrimiento»*. La misma pregunta la realicé también a una señora mayor, y ella me dijo que la asociaba a *«despiste»*.

> La memoria comprensiva es fundamental en el estudio. Sin la memoria no es posible la vida humana tal como la entendemos.

Esto me dio pie a pensar que el tema de la memoria se relaciona con las diversas circunstancias particulares del individuo. Luego supe que esta señora se despistaba con las cosas corrientes, como a cualquiera de nosotros nos puede pasar: íbamos a hacer algo y de repente no sabemos el qué... (lagunas de la memoria).

Pero no vamos a tratar aquí las cuestiones generales de la memoria si no están referidas a nuestros hijos, al proceso de aprendizaje. La asociación que hizo nuestro alumno de ocho años (por cierto que va muy bien en los estudios) me pareció, cuando menos, muy curiosa. Desde luego, estaba relacionada con el esfuerzo que supone estudiar, aprender, ¡claro! Y es precisamente la memoria una de esas capacidades básicas que se ponen en juego en el aprendizaje, haciendo posible avanzar en el estudio.

El ser humano no puede existir sin esta capacidad, incluso en los estados de amnesia muy graves el enfermo conserva muchas de sus capacidades memorísticas, conserva un cierto tipo de memoria. La memoria forma parte integral de la persona humana. El presente no tiene sentido sin ella, y es imposible la previsión del futuro.

Que la capacidad de memoria se desarrolle en nuestros hijos es algo muy importante, en el sentido integral.

Los alumnos que mejor aprenden son aquellos que tienen la capacidad de poner en relación (memoria) lo ya aprendido con lo nuevo que se les presenta a diario. Esto se llama «aprendizaje significativo».

No hacemos ningún descubrimiento si decimos que la memoria ha sido, en la educación tradicional, un baluarte de mucha consideración, y hubo fases pedagógicas en las que quedó relegada a un puesto de segundo orden.

Es fundamental porque sin ella no es posible que nuestros hijos aprendan. Ahora bien, estamos hablando de una memoria que debe ser educada, debe ser potenciada, pero con buenos criterios, desde la racionalidad, la lógica, la comprensión y la organización.

La memoria por la memoria desde luego ¡no!, a no ser que la consideremos en prácticas de ejercitación mental, como con el cuerpo podemos realizar un deporte o hacer gimnasia.

> La memoria debe tener en la educación el lugar que le corresponde.

Nuestra memoria no es como las memorias de los ordenadores, ni mucho menos; ni es un gran almacén de simple registro de datos sino que forma parte de nuestras vidas. Los aprendizajes escolares son también partes del saber y la experiencia humana que acumulamos. Por tanto, nuestra memoria es una memoria viva, biológica y mental, sociológica y psicológica.

No sólo sabemos guardar datos, información, recuerdos, sino que con ellos van nuestros afectos. Por eso podemos aprender con motivación y gusto, o con desmotivación y disgusto. La buena memoria se pone también en relación con este factor: memorizamos mejor cuando lo queremos. Hay que enseñar a nuestros hijos que el esfuerzo también merecerá la pena.

La memoria exige esfuerzo, organización de contenidos, recursos mnemotécnicos. Por eso yo diría que, incluso para un alumno sin problemas, la palabra memoria pueda sonarle a aburrimiento. Para eso estamos todos, para motivar el aprendizaje.

Es posible una mejor memorización cuando existe motivación para ello.

Solo existe una memoria; sin embargo, estamos muy acostumbrados a oír hablar de muchas, y eso sucede porque está en todo. Podríamos decir que es un sistema mental de funcionamiento; quizá el más antiguo de todos, el más intelectual y cognitivo. Probablemente la más antigua sea la memoria auditiva.

Estructura de la memoria

Dicen los estudiosos del ambiente uterino que incluso el feto recepciona en su cerebro sonidos, que le llegan a través del líquido amniótico de la madre, como sonidos amplificados: ¿promoverá esta recepción primaria y biológica las primeras vivencias memorísticas de los seres humanos?

Lo cierto es que el niño solamente puede comprender cuando ha recepcionado multitud de sonidos.

¿Qué son las palabras, las frases, el discurso? Son un maremágnum de sonidos que el cerebro debe organizar, debe estructurar. ¿Y qué es más característico de la memoria precisamente que esa capacidad de organización?

La cualidad más importante de la memoria es la de elaborar contenidos organizados, proyectar estructuras a la mente que puedan ser luego recuperadas, evocadas.

El niño potencia su memoria auditiva: recuerda, evoca, relaciona, organiza esa información fonética, sonora, y por eso comprende, y después realiza muchos ensayos con su garganta, con el aparato fonador, y habla. La memoria auditiva juega un papel fundamental.

Los niños en el útero materno perciben sonidos que pueden dejar huella en su cerebro.

Los conceptos, la formas, empiezan a estar registrados en un almacén de la memoria vivo, humano, relacional, asociativo, totalizador.

Nuestros hijos aprenden porque recuerdan, porque asocian las ideas, las imágenes, los conceptos, los evocan y también los olvidan. La memoria visual es otra de las grandes memorias; nuestra cultura es una cultura de lo visual por lo que esta memoria es esencial en el desarrollo de nuestros hijos.

Los aprendizajes infantiles y los primeros cursos de la Primaria están llenos de elementos de memoria visual: colores, formas, estructuras perceptivas organizadas en el espacio. La memoria auditiva tiene su campo en lo temporal y la memoria visual es lo espacial, pero todo ello con relación a un proceso mayor, a un proceso total.

Nadie mejor que los profesores de los alumnos pequeños saben lo vital de estos aspectos para el futuro de los aprendizajes.

La memoria de estudio

La memoria, desde luego, evoluciona y es un sistema mental de organización. Para la memoria de estudio es fundamental que el alumno organice lo que le da a la memoria; cuanto más organización mayor eficacia y mayor resistencia al olvido. Existen muchos tipos de memorias. La memoria precisa de la organización en la adquisición de los aprendizajes, luego debe potenciarse la retención de lo adquirido, para que se fije de un modo definitivo y se pueda recordar, que es la misión última de este sistema. La memoria de estudio se va adquiriendo a lo largo del proceso de escolarización; llamamos memoria de estudio a aquella que se aplica a la hora de estudiar, es decir, de asimilar conocimiento.

La memoria de estudio se pone en juego cuando organizamos la información, la estructuramos y, finalmente, la asimilamos.

Se han observado dos cualidades de proceso de la memoria de estudio: por una parte, aquello que damos a la mente debe ser organizado, y por otra estar integrado.

Para memorizar con eficacia debemos hacer que el conocimiento se organice y se estructure, de tal modo que luego la memoria sea capaz de recordar y evocar con mayor facilidad.

¿Qué quiere decir esto en relación con los diversos aprendizajes escolares? Para los niños implica que deben adquirir, con relación a los aprendizajes, hábitos básicos de organización imbricados en las tareas que se les proponen; se trata de la ejecución de buenos hábitos, el control en la ejecución de las diversas tareas. Y en los niños y adolescentes significaría que antes de memorizar se debe trabajar el orden y la estructuración de aquello que sea objeto de conocimiento.

En realidad, eso es de lo que hablan los métodos de estudio. Muchos autores dicen que antes de memorizar lo que debemos hacer es planificar cómo obtener el conocimiento de una manera eficaz, y cómo lo vamos a retener y a evocar. También nos dicen diversos autores lo malo que es para el aprendizaje y la memoria que los alumnos intenten aplicarla directamente sobre lo que es objeto de conocimiento.

Antes de pasar a aplicar la memoria, es decir, antes de retener lo que hemos aprendido, hay que seguir una serie de pasos lógicos.

Se dice que no hay que memorizar sin comprender, ni tampoco sólo comprender sin memorizar. La comprensión implica que el alumno debe trabajar la materia que es objeto de conocimiento: hay que estudiar diariamente, hay que organizar cada sesión de estudio, en el interior de cada sesión hay que tener en cuenta el tiempo que dedica a cada cosa, cada cosa en sí necesita unos planos de organización intrínsecos, como es haber recogido previamente buena información —en clase—; a la hora de asimilar hay que analizar y como consecuencia, en textos, subrayar; hay que sintetizar, hacer esquemas y resúmenes, de tal modo que a la memoria lo que le llegan son contenidos, en esas sesiones, muy organizados, muy sintetizados, muy integrados, y esto es lo que mejor se memoriza y luego se evoca.

No se debe ni memorizar sin comprender, ni comprender sin memorizar.

Llegando a este punto, la potenciación de la memoria reclama su propio sistema de fijación, como es la repetición a través de los repasos programados, la autoevaluación, etc. Una vez que a la memoria de un alumno se da de ese modo el conocimiento, los exámenes son posibles con mayor eficacia, y resulta más imposible quedarse en blanco.

> Haga que su hijo se acostumbre a repasar a los diez minutos lo que memorizó, luego a las veinticuatro horas, a la semana y al mes (como mínimo).

El olvido es menos improbable si rememoramos el aprendizaje a los diez minutos de haberlo aprendido; luego, a las veinticuatro horas, y de nuevo a la semana, así nos lo dicen las investigaciones sobre el olvido.

Y éste es el camino que hay que seguir para desarrollar y potenciar una auténtica memoria en nuestros hijos que no se puede desligar del proceso continuado de aprendizaje.

Cuando el niño es pequeño todo está ligado a los hábitos, y luego esos hábitos se transforman en capacidad para la organización y la integración del conocimiento que damos a la memoria.

Procesos de la memoria

Todo indica que la memoria es de suma importancia en el desarrollo y la maduración de la primera infancia. A nadie le pasa inadvertido la memoria fantástica que tienen la mayoría de los niños; se dice incluso que luego perdemos parte de esta habilidad: ¿es posible esto?

Está muy claro que un niño debe vivir en el espacio cómo es su cuerpo en acción (corre hacia delante y vuelve hacia atrás) y luego debe representárselo en su mente, de forma que, aquello que hacía externamente como actividad de psicomotricidad gruesa, luego lo hace en su interior: puede calcular mentalmente, antes de ejecutarlo; saber que puede ir hacia delante y hacia atrás, y prever ejecutar esa acción o no.

Más curiosamente, observamos que la memoria, en este ejemplo, no sólo se queda en esa asimilación de vivencias sensorioperceptivas y motrices, sino que, por generalización, los patrones de conducta memorizados se vuelven una capacidad, es decir, que se transforman en algo capaz de ser aplicado a multitud de otras circunstancias.

Hay que potenciar la memoria desde que el niño es pequeño.

Cuando un niño pequeño tiene en su interior la capacidad de representarse la acción puede, en este caso que venimos tomando como referencia, dibujar una línea haciendo movimientos con el lápiz hacia delante y hacia atrás, pues la versión más antigua de esta capacidad, precisamente, es ese movimiento psicomotor grueso de mover el cuerpo hacia delante y hacia atrás.

Así, podemos asegurar que, con todos estos patrones de comportamiento, el niño desarrolla un concepto mental: el de saber lo que es delante y lo es detrás, y esto puede aplicarlo a muchas otras cosas, ya que se trata ni más ni menos que de la inteligencia infantil.

¿Nos damos cuenta de la importancia que tiene la memoria en todos estos procesos? Sin ella el niño no podría poner en funcionamiento los aprendizajes que realiza, y es de esa capacidad remota de recordar y asociar patrones de comportamientos psicomotores de donde parten las capacidades infantiles que ponen en juego los niños en los aprendizajes propios de cada edad.

Todo esto es posible gracias a los procesos y la estructura de la memoria humana, que en el amanecer de la inteligencia son de vital importancia. Sin la memoria no es posible el desarrollo humano en ninguna cualidad de las aptitudes, no podría existir ni la inteligencia, ni la creatividad; nada es posible sin el recuerdo.

La memoria es fundamental para los aprendizajes.

En la infancia, y los primeros años de la niñez, es muy importante desarrollar en los niños sus capacidades con relación a todo lo que es memoria visual, auditiva, a experiencias de tipo psicomotor fino y grueso, y todos los aspectos de desarrollo perceptivo, porque con ello se obtienen rasgos en la memoria que cristalizan en capacidades mentales de otro tipo y orden.

Todas esas experiencias van quedando en la memoria a largo plazo, en forma de recuerdos, de ideas, de imágenes, de automatismos; de tal modo que, cuando se evocan y se relacionan entre ellas, la memoria hace posible que el ser humano exista como tal: ¿cómo podríamos hablar sin recordar las palabras y sus uniones gramaticales? ¿Se imagina andando sin recordar cómo anda? ¿Cómo podríamos comer si nuestra mano no recuerda dónde está la boca?

Muchos de éstos y otros automatismos se aprenden y se retienen durante la infancia.

EL DEPORTE

«*Mens sana in corpore sano*». También en las palabras encontramos restos de arte que corresponden a la arqueología del pasado. Ya en tiempos de los romanos se comprendía que entre el cuerpo y la mente existe una relación estrecha y de profunda implicación. Hoy la ciencia precisa, con rigor metodológico, que el cuerpo y la mente pertenecen a una realidad con esencia no separada. Un cuerpo sano posibilita una mente sana. Posibilita o facilita el desarrollo de la realidad psicológica en equilibrio.

Ninguna higiene es más profunda y más educativa para la mente que la que proporciona el deporte. La actividad deportiva hace posible una mente sana en un cuerpo sano. Cuando hablamos de esto, por supuesto, nos referimos a cualquier persona, sea en la niñez, la juventud, la adultez o la vejez. Pero, si este tema lo limitamos al universo de la niñez, la actividad física llega a ser la base por la que es posible la existencia posterior de lo mental.

El deporte, la educación física, o actividad física general durante la niñez, es lo que en un principio abre la puerta del desarrollo mental. No es posible la realidad psicológica en su origen sin la actividad física corporal organizada. La forma más especializada de actividad física en la niñez se llama escolarmente psicomotricidad, es decir, el movimiento motor organizado relacionado con lo psicológico. A nadie le pasa inadvertido que en la niñez la actividad física es la fuente principal de la organización mental.

El deporte, por tanto, como organización metodológica del movimiento en los niños puede tener una proyección de organización también en la representación mental. Es el deporte y la actividad física organizada lo que permite una organización más profunda de lo mental. Al menos la estimula. Cualquier tipo de deporte o de actividad de educación física exige un proceso de aprendizaje de técnicas básicas que faciliten las buenas condiciones corporales, y sus ritmos proporcionan a la persona una variedad de experiencias psíquicas. En los niños más pequeños incluso facilita el desarrollo de lo cognitivo e intelectual.

Todo deporte exige el movimiento organizado del cuerpo. Ciertos niveles de organización del movimiento corporal están incorporados en el ser humano incluso antes de nacer. Cualquier deporte exige mediante sus técnicas específicas establecer esquemas coherentes de movimientos. Esta coherencia se adquiere a través del entrenamiento y la disciplina.

Esta coherencia y esta disciplina preparan al alumno que lo practica, y le inclinan también hacia la coherencia y la disciplina mental que necesita el movimiento implícito en el deporte. Y esto necesariamente debemos considerarlo como organización del orden interior del niño y del adolescente.

Es el niño pequeño el que más tiempo de su vida dedica a organizar, a ejercitar la coherencia del movimiento. Piaget lo denominó desarrollo de la inteligencia sensomotriz (desarrollo de la inteligencia de los sentidos y del movimiento coherente y organizado). Como vemos, en la niñez, actividad física y desarrollo psicológico es casi lo mismo, cualquier actividad «deportiva» en la niñez favorece esta diada.

La libertad del movimiento. La multiplicidad de sensaciones que proporciona el deporte es en sí esencia de armonía interior. Los orientales son expertos en armonizar lo físico con lo mental sabiamente. Lograr armonizar el cuerpo con la mente es el objetivo máximo del deporte. Así sucede en multitud de disciplinas deportivas. Esta armonía puede ser integrada ya desde la infancia a través de las actividades deportivas organizadas y adaptadas a las diversas edades.

Cuando el deporte es actividad grupal favorece la socialización y la dinámica de grupo. Cuando la actividad deportiva se torna rural y abierta en los espacios libres de la naturaleza, la integración y la armonía son aún más enriquecedoras: la nieve y las montañas, el individuo y el grupo, el ser humano consigo mismo. Introducir el deporte en la educación de los niños y adolescentes cuanto antes y con una perfecta adaptación a la edad es uno de los hábitos más importante que podemos proyectar sobre nuestros hijos. Hay que planificar el deporte y adaptarlo a las necesidades y posibilidades de cada edad según criterios objetivos de desarrollo. La progresión en lo deportivo puede comenzar con objetivos muy elementales hasta llegar con el tiempo a establecerse como técnicas muy complejas.

El deporte favorece el desarrollo, el bienestar y la salud. Cualquier actividad física o deportiva necesita de la expresividad personal, no hay gesto ni movimiento sin afecto o inteligencia. El deporte introduce además el propósito, la meta y el objetivo de una actividad que se va a realizar o ya realizada. Aspecto de lo humano que es la base de su propia esencia en cualquier edad. El deporte nos introduce en el orden de la planificación y la programación, la constancia o la voluntad.

Nos introduce a los seres humanos en el orden de lo superior, por eso nos fascina su práctica y nos admiramos y sorprendemos, porque vuelve consistentes los valores que practicamos en el orden de lo grupal. Un niño o un adolescente activo, dinámico, favorece su maduración y el desarrollo a todos los niveles, y esto desde la más temprana edad.

Por supuesto que las técnicas, los estímulos, los programas, son cambiantes y diferentes para cada cronología. Un deporte a una edad muy temprana puede llegar a ser la simple ejercitación psicomotriz mientras que a otra edad es organización de técnicas específicas muy complejas.

No podemos olvidar que el deporte es cultura histórica y desarrollo individual a cualquier edad. Es pasado, es presente y es futuro. En psicología se sabe, desde J. Lawert en Estados Unidos (1951), que el deporte en equipo favorece la motivación, la cohesión y las relaciones interpersonales; por eso el deporte y su sentido de equipo es tan profundamente educativo cuando se desarrolla ya desde la niñez. También la psicología del deporte ha observado que favorece el desarrollo de la personalidad humana, así lo establecen los estudios de Tutko (1960). En el deporte se sabe que quedan implícitos para integrar en la persona multitud de complejos estímulos ambientales y mecanismos internos individuales. La educación en el deporte es educación para la vida.

La conducta se regula mejor en los niños y adolescentes desde la actividad deportiva. Lo deportivo y lo cognitivo, el universo del pensamiento y las imágenes están fuertemente unidos a la esencia intrínseca del deporte. El deporte es disciplina de lo mental y lo concentrativo. Es educación de lo atencional. Estos factores son muy interesantes en lo educativo en general, ya que sin esta destreza los niños no pueden ser eficaces en los aprendizajes.

Cada deporte es capaz de introducir en lo mental características psicológicas muy diversas y son favorecedores también de áreas especificas de los aprendizajes. Con el deporte estamos en el universo de lo psicofisiológico. De lo autorregulativo. De la educación en la voluntariedad.

Del entrenamiento en lo mental. Durante la actividad deportiva es innumerable la cantidad de procesos psíquicos que pueden acontecer. El deporte se posibilita sólo a través de una mente organizada. Una mente deportiva inteligente sabemos que es más eficaz, luego el deporte introduce la activación de la inteligencia en sus procesos. Por eso esta actividad estimula al niño y al adolescente en un orden muy general en su inteligencia.

Sobre el deporte el niño y el adolescente descargan energía, descargan su ansiedad. Posibilita la organización de sus movimientos. Aumenta la atención y la concentración. Desarrolla y estimula los mecanismos perceptivos visuales e imaginativos. Posibilita el cambio de pensamientos, actitudes y motivaciones, encauza la irracionalidad de los impulsos y mueve a la socialización y la comunicación. Potencia la imagen y el esquema corporal, hace posible el rompimiento con los problemas y el cambio de los malos hábitos.

Fomenta la autoestima y la propia identidad personal y de pertenencia al grupo. Las actividades deportivas y la calidad de la vida son elementos que están fuertemente unidos, que podemos introducir en los niños desde muy pequeños. Educar para el deporte y en el deporte toca las bases esenciales del concepto de educación en sí mismo. «*Mens sana in corpore sano*». No en vano nos ha quedado esta frase como reliquia arqueológica del pasado.

J.G.R.

La madre en la edad de la ternura

La relación afectiva con la madre

La madre representa para el niño recién nacido, a lo largo del primer año de su vida, la primera puerta, el primer contacto, la primera relación con el mundo externo. Hay un transvase de emociones, de afectos, entre la madre y el niño, que, según algunos estudiosos como Spitz, llega incluso a determinar su personalidad futura. Es, por tanto, necesario atender este tema para que ningún recién nacido pueda resultar privado, por ignorancia u otras razones, de un derecho tan vital como es vivir en un clima cálido de afectividad familiar, cuyo origen más temprano tiene que ver principalmente con la madre.

> La madre es una figura fundamental en la vida del bebé.

Alguien podría creer que por ser tan pequeño y tan desvalido en relación al adulto, estas personas no distinguen, no se sienten afectadas por su entorno. Quizá se crea que, cubiertas sus necesidades más elementales, poco más se puede hacer, y estos adultos se confunden, como ya hemos desarrollado a lo largo de este capítulo.

En psicoanálisis, el estudio de este tema se llama de relaciones objetales. La palabra «*objetal*», aplicada aquí, hace referencia a la madre como meta de los afectos del niño. Es decir, que se refiere a las relaciones afectivas o emocionales que el lactante y la madre mantienen, que resultan vitales para el niño, y las cuales generan dimensiones psicológicas muy importantes en su futuro.

Las personas que están alrededor del niño, que le atienden, son personas que le gratifican y frustran. En sus relaciones, el niño, vive estados emotivos ambivalentes (dos polos) de amor y odio, se ama y se odia al mismo tiempo a una misma persona, con relación a lo que le hace, o fantasea que le hacen. La figura materna es un objeto privilegiado para el niño.

Debe existir una comunicación fluida y gratificante entre la madre y el niño.

Ideas esenciales

1. La madre es de vital importancia para el desarrollo del niño pequeño.

2. La madre es la meta afectiva más importante del niño pequeño.

3. Todo en el niño se valora según el principio de la gratificación o la frustración.

4. Lo que frustra es malo y se «*odia*».

5. Lo que gratifica es «*bueno*» y se ama y se quiere.

6. Es vital la comunicación no verbal con el lactante.

7. La estimulación producida por las relaciones interhumanas que se establecen con el bebé es esencial para el niño.

8. La comunicación positiva o negativa con la madre genera en el niño rasgos de carácter.

9. Cuando existe una sustitución de la progenitora y ésta obra del mismo modo que una madre, el niño se equilibra.

La comunicación entre la madre y el hijo muy pequeño nunca pueden ser verbal; por obvias razones, se comunican a través de gestos y señales. Según Spitz, este sistema de comunicación de estímulos y respuestas comienza en los primeros meses de la vida. El niño responde en primer lugar al rostro humano, y no se limita al rostro de la madre. La sonrisa es una conducta de adaptación. El niño necesita ser estimulado por las relaciones humanas, sin las cuales sufriría procesos de frustración.

Muchas de las reacciones de los niños están en relación con la comunicación que establecen con la madre.

La relación con la madre es especial, privilegiada, por lo cual se sabe que él bebé distingue entre conocidos y extraños. Los afectos entre la madre y el niño se vehiculan de un modo sutil, delicado. Pero es así, realmente, si la relación entre la madre y el hijo es buena; se establece una sintonía armoniosa de la que el hijo es beneficiario con estados de satisfacción y felicidad. Si la relación es mala, se observará una desarmonía en la comunicación, y el niño tenderá a estar insatisfecho o infeliz. La mayoría de las veces la actitud afectiva inconsciente de la madre es determinante en el estado armónico o desarmonizado de la relación.

La educación del lactante consiste en estimularlo adecuadamente mediante el equilibrio de una buena atención materna, mostrando una actitud positiva hacia su hijo, siendo la fuente fundamental de sus satisfacciones. Debe sonreírle, acariciarle, estar solícita a sus necesidades, hablarle, sostenerle en brazos... Hay una relación muy estrecha entre salud y cuidados maternos; cualquiera de nuestros hijos lactantes se debe encontrar en un grado intermedio entre una perfecta sintonía y una mala sintonía en la relación madre-hijo. Si queremos que nuestros hijos tengan un equilibrio psíquico sano debemos cuidarlo y la dedicación materna es importantísima y vital en este período.

Sin amor el niño sufre, esto acontece con los no deseados que, en circunstancias extremas, llegan a crear síntomas orgánicos y, normalmente, en su desarrollo muestran carencias afectivas. Esta desarmonía lo que genera es una incapacidad infantil para manejar la propia angustia.

Cuando la madre no está, o se aleja, tiene que manejar la angustia que le supone el perder su objeto de amor, ella representa una fuente de gratificación que ahora no está, su emoción es de tristeza. Si la madre se acerca, el lactante experimenta la alegría de que su objeto de amor, su fuente de gratificación, está cerca y su emoción es de alegría.

Estas realidades emotivas son tan importantes para el niño que, si éste tuviese la vivencia de abandono absoluto de su objeto de amor, por carencia afectiva, llegaría a un estado de depresión profunda, y si no lograra algún sustituto materno, podría llegar incluso a morir.

EJERCICIOS PARA DESARROLLAR EL LENGUAJE

Para el desarrollo del LENGUAJE aconsejamos actividades como: Las órdenes de «una sola acción». Ejemplo: ponerle una pelota en la mano y decirle: «Dásela a papá.»

Al mismo tiempo que se señalan, nombrar las siguientes partes del cuerpo: pelo, mano, pies, boca, nariz, orejas. Que el niño emita vocales, modulando y exagerando el adulto los movimientos de su boca.

Preguntar al niño: «Quién es... (nombre del niño). Di yo.» Repetir hasta que el niño lo diga al oír la pregunta. Señalar el jersey del niño y preguntar: «¿de quién es el jersey? mío». Repetir hasta que el niño responda sin ayuda cuando se le pregunta por algo de su propiedad.

Preguntar al niño: «¿Cómo te llamas? Di... (nombre del niño).» Repetir hasta que sea capaz de responder sin ayuda.

Hacer que el niño empiece a utilizar verbos en las frases que emita. Por ejemplo: «Mamá, agua.» Insistir en que diga: «Mamá, quiero agua.»

Nombrar los objetos que ve en una lámina. Nombrar los objetos que vea en la habitación.

Colocar el alimento preferido por el niño delante de él. Nombrar el alimento. Que el niño lo repita.

Mostrarle diversas fotografías de personas que sean conocidas. Entre dichas fotografías ha de estar la suya propia. El niño irá diciendo el nombre de cada una de las personas.

Presentar alguna lámina donde se realizan distintas acciones: bailar, saltar, lavarse, vestirse, etc., y pedirle que vaya nombrando la acción que va representando.

Jugar a tiendas con el niño —la mamá empezará el juego diciendo— «quiero...» Animar al niño en casa a que utilice «quiero» cuando quiera algo.

En ambientes donde no se encuentra la madre el niño percibe una figura materna, podemos encontrar a niños igualmente equilibrados. De aquí que cuando dejamos en un centro educativo a nuestro hijo pequeño lo más importante es que las personas que le rodeen proyecten buenas dosis de afectividad. La afectividad proyectada por el adulto hacia el niño produce siempre efectos positivos y es la base del equilibrio de los niños en la edad de la ternura.

El lenguaje hablado

El habla en la edad de la ternura

Si para nuestra sociedad leer y escribir es propio de una edad, razonar y tener lógica es característico de otra. Hablar es un aprendizaje muy singular en la edad de la ternura.

El lenguaje es un rasgo que nos caracteriza a los hombres como especie. Nos permite relacionarnos socialmente, comunicarnos, desarrollarnos, ser personas. El hombre, cuando nace, tiene toda la potencialidad biológica, todo el equipamiento necesario para emplear esa capacidad, solamente necesita el desarrollo y la maduración pertinente para la adquisición del lenguaje hablado.

En la adquisición del lenguaje hablado intervienen la potencialidad biológica y la influencia del aprendizaje. La primera nos indica que el niño debe tener, para poder hablar, una estructura somática, fisiológica, que pertenece a factores madurativos que son necesarios para poder hablar. Por otro lado, debe recibir la estimulación oportuna del medio ambiente donde el niño está inserto, fundamentalmente para que el lenguaje hablado se desarrolle convenientemente en el niño. Sin esa potencialidad biológica, somática, no es posible el lenguaje hablado, tampoco lo es si no estimulamos esta capacidad desde el entorno adecuadamente. Se dice que son los padres quienes verdaderamente dan el lenguaje a sus hijos.

Proceso del desarrollo del lenguaje

En la aparición del lenguaje, en el curso normal del desarrollo, el niño:

1. A los SIETE MESES: comprende que los sonidos tienen algún sentido.

2. A los OCHO-NUEVE MESES: pronuncia algunas palabras (papá, mamá...).

3. A los DIECIOCHO MESES: entiende órdenes sencillas y asocia algunas palabras.

4. Entre los DOS y los DOS AÑOS Y MEDIO: construyen frases.

5. Hacia los TRES AÑOS: se expresa con facilidad.

6. Hacia los CINCO AÑOS: comienza la *abstracción*.

Los padres deben tener en cuenta que las manifestaciones lingüísticas de los niños son muy variadas; hay niños que comienzan a hablar después de un tiempo de silencio, y nos sorprenden con su evolución repentina; otros son muy precoces.

También debemos saber que los niños pueden alterar su lenguaje por problemas psicológicos. Por ejemplo, es frecuente ver a niños que pierden capacidad lingüística por causas afectivas, por rivalidad fraterna, pongamos por caso; observamos regresiones acentuadas. No hay que preocuparse mucho por ello, recomendamos que se visite a un especialista que trate el conflicto afectivo. Los trastornos del lenguaje suelen ir acompañados de otros síntomas, localizados en el apetito o con regresiones en la psicomotricidad.

Los problemas de lenguaje, en los niños, cuanto antes se solucionen, mejor.

Si a los tres años el niño no construye frases, podemos sospechar que algo anda mal, y se impone la consulta al especialista.

Para favorecer el desarrollo lingüístico hay que dirigirse al niño con un lenguaje lo más rico posible, no debemos ser «*ñoños*» en las expresiones.

Para el desarrollo del lenguaje el niño debe ser estimulado, que nos cuente la que hace, que describa las cosas. En eso, los padres deben actuar como auténticos maestros, generando actividades enriquecedoras del lenguaje de sus hijos.

Favorece el desarrollo del lenguaje la gimnasia rítmica y los ejercicios donde están implicados programas psicomotrices.

Los niños con retraso de lenguaje muy marcado deben ser reconocidos por especialistas, y se deben investigar las causas que pueden estar ocasionadas por problemas de audición, choques emocionales en la tartamudez, mala lateralización.

Aspectos de interés sobre el lenguaje

1. La edad de la ternura es singular para el aprendizaje del lenguaje hablado.

2. El desarrollo del lenguaje depende de aspectos somáticos y de influjos del medio ambiente.

3. El lenguaje hablado se puede potenciar y desarrollar mediante programas de actividades.

4. La expresión articulada puede verse afectada frecuentemente por presiones afectivas.

5. La tartamudez y los retrasos en la articulación pueden ser síntomas de problemas afectivos.

6. Los padres deben usar riqueza de lenguaje y no ser ñoños.

7. A los tres años un niño debe tener un nivel de lenguaje articulado rico y muy desarrollado.

La comida y sus conflictos

Vamos a considerar el tema de la alimentación desde el punto de vista psicológico y social, no desde la perspectiva dietética. El recién nacido emprende la actividad de la alimentación como una adaptación obligatoria, autónoma e independiente a la vida. Alimentarse supone introducirse desde su base en la trama social, y ese primer nexo lo tiene el niño generalmente con su madre.

En la vida intrauterina, a través del cordón umbilical, se le transmiten de modo automático los elementos nutrientes esenciales para su vida; después del parto, el niño comienza a poner en práctica complejos mecanismos que le permiten no sólo alimentarse sino también desarrollarse psicológicamente.

Hemos de ver pues en la circunstancia primera del recién nacido una actividad muy compleja que no sólo vale al bebé o lactante como algo que le procura la energía suficiente para su crecimiento somático, sino que esta actividad también le sirve para otra dimensión del crecimiento que los psicólogos llamamos DESARROLLO.

La relación que existe entre la ACTIVIDAD DE ALIMENTARSE y el DESARROLLO PSICOLÓGICO es algo que permanece para toda la vida, tiene gran influencia en nuestra naturaleza humana, quedando por ello incluso rasgos de personalidad, cuyos orígenes se remontan al período de lactancia.

La actividad alimentaria primigenia está centrada alrededor de la boca en el lactante. Lo que mueve al niño de estas edades a poner en funcionamiento sus capacidades fisiológicas son dos tipos de NECESIDADES bien diferenciadas: el hambre y el apetito.

El hambre

Es la NECESIDAD corporal o fisiológica de alimentarse. En el recién nacido reclama el alimento con el llanto y en el despertar que se produce cada tres o tres y media horas.

El apetito

Es el DESEO de ser alimentado, esta necesidad es puramente psicológica. Va moldeando el impulso del hambre, de tal modo que la experiencia que recibe el lactante al satisfacer la necesidad perentoria y supervivencia del hambre, se le asocian otras vivencias que no tienen que ver con el alimento en sí, sino con circunstancias asociadas a los sentidos, a las sensaciones que recibe, son experiencias felices del gusto, del olfato, de la vista, del tacto, afectivas... Esto moldea el impulso puramente biológico y hace que el niño entre en el terreno del disfrute.

Está muy claro pues que en el niño recién nacido al satisfacer su hambre no sólo estamos nutriendo su cuerpo de sustancias energéticas, de sustancias químicas, sino que también se está nutriendo de experiencias psicológicas que en un principio están relacionadas con las sensaciones.

El APETITO es tan delicadamente psicológico que, a lo largo del desarrollo infantil, vemos que puede ser fácilmente manipulado por los niños, en el sentido de que muchas circunstancias problemáticas psicológicas infantiles inciden sobre él. Es pues éste un crisol donde quedan reflejados los problemas del niño.

Es por eso que un niño que altere su apetito involuntariamente, probablemente tenga alguna problemática que resolver. Los padres deben estar atentos a estas alteraciones, y viendo que no exista ninguna causa somática, deben pensar que su hijo expresa alguna necesidad psicológica. Quizá necesite afecto, o desee llamar la atención.

Freud calificó el primer año de la vida del niño de FASE ORAL; alrededor de la actividad de alimentación el niño recibe PLACER fundamentarle por la boca. Melanie Klein demuestra científicamente que esta fase oral, tan asociada al tema de la alimentación, juegan un papel fundamental en el desarrollo humano.

Para M. KLEIN son de vital importancia LAS FANTASÍAS INFANTILES alrededor de las que está girando el mundo afectivo del niño, y que influyen en la formación del carácter. Cree que el niño se representa el objeto de su alimentación, el pecho materno, tiene que aprender a controlar que éste no está siempre presente para satisfacer su apetito.

Cuando su fuente de alimentación le alimenta, le da felicidad, placer, este pecho es bueno; si no está presente y no le da ese placer, está lejos, no le alimenta, lo vive como malo, siente hacia él agresividad. Es pues una circunstancia psicológica elemental y ambivalente de amor-odio hacia la madre objeto de este primer contacto. Esto representa la primera relación del hombre con el mundo, con su entorno. El niño supera esta etapa felizmente al sentirse más inundado por el amor que por las fantasías agresivas de odio. De ahí la importancia de una afectividad materna positiva.

Queda evidentemente claro que la alimentación se relaciona con nuestra vida psíquica de un modo rotun-

LA COMIDA Y SUS CONFLICTOS

1. Comer no es sólo alimentarse. Comer es también una forma de comunicarse principalmente con la madre.

2. El apetito es una función psicológica que tiene fuertes tintes de relación social. Cuando existe una relación muy estresante entre la madre y el niño, el apetito es alterado en forma de conflicto.

3. El niño al ser alimentado experimenta multitud de reacciones, de señales externas que no son propiamente alimentarias sino psicológicas. Puede recibir enfados o alegrías. Mimos, fiestas o gritos, tensiones...

4. El niño puede expresar muchos conflictos en esa relación que se establece a través de la comida que pierde así su pura función fisiológica de alimentar.

do; no sólo se recibe energía sino que se transmiten vivencias, sensaciones. Después del primer año de vida, el psiquismo pasa a otras circunstancias más generales de desarrollo, donde la alimentación adquiere otro plano.

Miedos, pesadillas y terrores nocturnos

Los miedos infantiles seguidos de crisis de angustia, motivados por situaciones fantásticas, están producidos por el tema de las pulsaciones. En otras palabras, el YO del niño se defiende de la angustia que le producen sus tendencias inconscientes, creando la sintomatología del miedo frente a fantasías percibidas como externas.

Este complicado mecanismo tiene que ver con el tema de Edipo tan popular y muy conocido, y en la rivalidad fraterna.

Los sueños expresan contenidos reprimidos relacionados con la problemática inconsciente de la que es portador el niño en el momento que sueña.

Los miedos suelen ser muy frecuentes a la edad de dos y tres años, y posteriormente entre los nueve y los diez.

Terrores nocturnos

Los sueños cumplen la misión de realizar los deseos reprimidos de un modo simbólico; la tendencia a la realización del propio deseo genera angustia en el niño de la edad de la ternura.

Sabemos que las crisis de miedo como terrores nocturnos suceden durante la noche, y es así porque el control que tiene el niño sobre el inconsciente durante el período de descanso es menor que durante el día.

Se experimenta esta especie de crisis terrorífica justo en este instante, por efecto de una explosión de las tendencias reprimidas, materializadas en forma de pesadillas.

Realización de deseos

Conviene observar que los niños utilizan estas situaciones en cumplimiento de sus deseos; por eso, después del sueño pueden en la edad de ternura desplazarse hasta el cuarto de los padres e intentar separarlos de algún modo basándose en sus terrores nocturnos y sus miedos, y solicitan acostarse allí, a poder ser en medio de la pareja. Y lo generalizan también durante el día, logrando llamar la atención con bastante fingimiento personal.

Por otro lado, observaremos que junto a estas pesadillas y sueños raros, el niño generaliza sus «*rarezas*» a otras situaciones: desarrolla miedo a estar solo, teme ser perseguido, el mundo es un peligro y se muestra receloso.

Hay detrás de todo esto una realidad sobre la que el niño sustenta muchos comportamientos de índole manipulativo.

Es pues evidente, como sucede en muchos de ellos, que su dinámica afectiva inconsciente provoca en el niño los síntomas del problema que preocupa a sus padres: el miedo seguido de angustia con principal intensidad durante la noche.

Estos síntomas desaparecerán de modo natural con el paso del tiempo, justo en el momento en que los problemas libidinosos y de rivalidad inconsciente dejen de presionarles.

En los niños son normales los miedos y las pesadillas nocturnas, y si no se le observa ningún desajuste acusado de su personalidad, los padres verán cómo son circunstancias pasajeras motivadas por los temores más profundos que vive su hijo en esos momentos.

Pautas

1. El niño tiene una rica vida interior, profunda, que expresa en los sueños de modo simbólico.

2. Cuando aparecen las pesadillas nocturnas y el niño se da cuenta de que llama la atención de los padres, en muchos casos intenta perpetuar ésta u otras situaciones, que se transforman en llamadas de atención.

3. La vida interior del niño puede también estar proyectada sobre los miedos diurnos, expresarse en forma de temores y recelos.

4. Existen momentos clave donde aparecen con mayor intensidad estos fenómenos.

El control del «*pis*»

La enuresis

Se debe tener muy claro que el término enuresis hace alusión al hecho fisiológico de expulsar la orina de un modo involuntario. Este fenómeno, una vez controlado el pis y la caca, es un problema muy frecuente en los niños, que preocupa a los padres. La emisión de la orina puede efectuarse durante el día y/o la noche. Hay que tener muy claro, una vez descartadas las posibles causas orgánicas de la enuresis que generalmente, detrás de la emisión involuntaria de la orina suelen existir conflictos psicológicos que están incidiendo sobre algo que el niño debe aprender, o que ya ha aprendido, pero sobre lo que, de un modo regresivo, crea síntomas. El niño debe aprender a controlar la caca, el pis (controlar sus esfínteres).

Este aprendizaje, a los adultos nos puede parecer sencillo, pero realmente tiene una gran complejidad. Nos referiremos siempre a la enuresis ligada a conflictos psicológicos.

El control del pis y de la caca en su oportuno momento produce en el niño de la edad de la ternura un efecto positivo en cuanto al desarrollo y la maduración. Es decir, que no es un tema simple de pis y de caca, sino de destreza del sistema nervioso.

Cuando el niño logra controlar los esfínteres de manera automática es que su cerebro ha madurado, lo cual nos lleva a la siguiente conclusión: ha logrado que su cerebro controle más funciones y por generalización está también preparado para aprender mejor. Este matiz del control enurético y encoprético resulta altamente atractivo para su consideración. Se debe iniciar este aprendizaje entre los 18 y los 30 meses de edad. Por otro lado, a un niño mayor que no controla se le presenta, problemas de identidad personal y de autoestima. Sería como decir: *«Los demás sí y yo no.»*

El control voluntario de la orina es algo que se aprende, y para comprender los fenómenos implicados en estos aprendizajes de nivel orgánico, comentaremos, en síntesis, lo que sucede: formada la orina en los riñones, baja por unos conductos, llamados uréteres, hasta la vejiga. Después de acumularse en este depósito, se expulsa periódicamente fuera del organismo a través de la uretra. Para que la orina quede retenida en la vejiga, o salga de ella, es preciso el concurso de dos *«compuertas»*, o anillos musculares que abre y cierra el conducto de la uretra; estos anillos se llaman, uno, esfinter interno: funciona de modo involuntario, es decir, se abre automáticamente cuando el sistema nervioso recibe señales de que hay necesidad de desalojar la orina; otro, esfínter externo, que funciona con el concurso de la voluntad, es decir, el sistema nervioso recibe la señales de la vejiga y mediante la voluntad se puede retener la orina. El esfínter externo moldea la acción del esfínter interno. Este control es el que debe aprender el niño. Debe aprender cuál es el nivel de presión de la vejiga, debe llegar a retener a voluntad la necesidad de orinar, y lograr que en estado de sueño también funcionen esos mecanismos de modo automático, y también aprender a despertarse cuando aumenta alarmantemente la presión de la vejiga.

Orinar a voluntad no es una tarea fácil; aprender un conjunto de cosas coordinadas por el sistema nervioso, automatizarlas, y poco a poco hacerlas inconscientemente es un aprendizaje que el ambiente familiar y social exige del niño sobre el final del segundo año de vida. En resumidas cuentas, se trata de aprender a controlar la vejiga.

Su descontrol provoca la enuresis, cuando las causas son psicológicas, debe tratarse desde esta perspectiva; teniendo presente cualquier conflictividad psicológica que pueda afectar bien al proceso de aprendizaje de dicho control, o bien, mediante una regresión. El descontrol de la vejiga se produce como una reacción ante cierta conflictividad, o también como conducta adaptativa por la que el niño recibe estímulos positivos (atención de los padres, mimos).

Se recomienda siempre que el control de la enuresis se haga a través de un especialista, el cual tendrá presente el tipo de enuresis del niño, investigará las causas, tendrá en cuenta cómo vive el problema el paciente y su familia, medirá el interés que se tiene en la solución, en qué momento sucede la emisión de orina, la cantidad.

Luego, se establece un programa de entrenamiento donde el niño aprende a controlarse (es decir, saber cuándo la vejiga está llena, vacía, semillena). Se diversifican los días, se establecen pautas para la noche, se refuerzan positivamente los buenos resultados mediante contratos de responsabilidad entre los padres y el hijo, se emplean sensores de humedad (aparatos enuréticos).

En otro orden de cosas, se debe tener presente toda la problemática afectiva generada alrededor de este problema.

Antes del final del segundo año, ningún padre debe presionar para que el niño controle voluntariamente la expulsión de orina porque puede generar grandes conflictos psicológicos. No se debe amenazar a los niños, ni castigarles, por causas de retraso. Hay que ser muy sensibles, pues los niños suelen sentir vergüenza por causa de su enuresis.

Debemos descubrir si el niño reclama la atención paterna, y mantiene como consecuencia de ello esa falta de control de la vejiga. Cuando un niño, después de controlarse, vuelve a hacerse pis en la cama, se debe estudiar la causa; ya sabemos que cuando un niño tiene un hermanito con frecuencia se producen regresiones, se puede fijar su efecto sobre la enuresis.

De cualquier modo, debemos tratar con mucha delicadeza este problema.

PAUTAS

1. Controlar el pis y la caca es un tema de autoestima, autonomía, y facilita aprender otras cosas mejor.

2. En una situación normal este problema debe estar solucionado entre los 18 y los 30 meses.

3. Si a los cuatro-cinco años persistieran problemas enuréticos, sería bueno acudir al especialista.

4. Controlar el pis a veces es tratar también y paralelamente los problemas afectivos.

ÍNDICE